LEADERSHIP MANUAL

— 유미정 지음 —

학원운영매뉴얼

BOOKK✎

"성공하는 리더는 기획부터 남다르다"

유미정 마스터코치

교육경영 리더의 인사이트를 모아 단 한 권에 정리한,
이 시대의 리더라면 가지고 있어야 할 바이블!

★★★★★

학원운영 매뉴얼

발 행 | 2024년 04월 24일

저 자 | 유미정

펴낸이 | 한건희

펴낸곳 | 주식회사 부크크

출판사등록 | 2014.07.15.(제2024-16호)

주 소 | 서울특별시 금천구 가산디지털1로 119 SK트윈타워 A동 305호

전 화 | 1670-8316

이메일 | info@bookk.co.kr

ISBN | 979-11-410-8249-9

www.bookk.co.kr

© 유미정 2024

학원운영매뉴얼

LEADERSHIP MANUAL

유미정 지음

학원운영매뉴얼

BOOKK

"성공하는 리더는 기획부터 남다르다"

유미정 마스터코치

교육경영 리더의 인사이트를 모아 단 한 권에 정리한,
이 시대의 리더라면 가지고 있어야 할 바이블!

★★★★★

유미정 지음

목 차

4장. 프로세스로 등록하게 하는 상담 시스템

1. 신규생 전화상담 매뉴얼
2. 우리 학원의 신규문의 전화상담 매뉴얼 완성하기
3. 신규생 대면 상담 매뉴얼 구축
4. 재원생 상담 매뉴얼 구축
5. 교과목 상담 매뉴얼

5장. 소통의 자리 학부모 간담회, 설명회

1. 학부모 간담회, 설명회 연간 계획
2. 학부모 간담회, 설명회 전 무엇을 준비해야 할까?
3. 소통을 학부모 간담회, 설명회 진행 비법
4. 학생의 성장을 통한 학원 성장으로 이어지게 만드는 학부모 설명회
5. 학부모 간담회, 설명회 사후처리

6장. 지속해갈 동기부여의 시간, 단기특강

1. 새 학기 준비를 위한 진로와 세특준비 특강
2. 효과적인 학교생활과 성적향상을 위한 공부법 특강
3. 만점 대비와 공부하는 방법을 확인해보는 내신대비 특강
4. 몰입의 경험만큼 실력을 키울 수 있는 절호의 기회, 방학특강
5. 자기주도학습 코칭과 지속해 갈 동기부여를 위한 독서특강
6. 테마별 미니특강-비전, 시간 관리, 기록관리, 교과 공부, 독서법 등

7장. 비교과 시스템

1. 비교과 관리와 학교생활기록부 관리의 중요성 어필 포인트 잡기
2. 우리 학원 비교과 3년/5년 대비 로드맵 만들기
3. 진로/비전 탐색 및 동아리 활동 기획 선정 관리 비법
4. 학생부 점검 및 다음 학기 학생부 기획 상담 비법
5. 전략적 독서를 활용한 학생부 경쟁력 만들기

8장. 재원생 유지의 핵심인 학생, 학부모 관리

1. 휴 퇴원 관리 시스템
2. 재원생 상담 시스템
3. 우리 학원만의 강력한 무기, 학원 생활 관리 시스템 구축하기
4. 모든 것을 기록으로 남겨라! 완벽한 학생 관리를 통한 학부모 관리
5. 성적과 재등록률을 높이는 차별화된 학습관리 시스템 구축하기

9장. 학원의 성장을 극대화하는 강사 시스템 구축하기

1. 학원 규모에 따른 조직구성 및 업무 분담
2. 우리 학원에 맞는 강사 관리 시스템 만들기
3. 1개월에 베테랑 강사를 만드는 신규강사 훈련 시스템
4. 우리 학원에 최적화된 강사역량 점검 및 평가방법
5. 연간 계획 시스템에 따른 자동화 시스템
6. 업무 공유 시스템으로 업무 완성도 높이기

프롤로그

프롤로그

대학을 졸업한 이후 줄곧 '교육'이라는 것을 중심에 놓고 그와 관련한 일을 해오게 되었다. 각각의 시기가 있었는데 크게 3가지로 구분이 된다. 교육자로서의 시기, 교육과 운영을 겸한 시기, 교육경영자로서의 시기이다.

첫 번째는 대학을 졸업하고 10여 년간 대안 교육에 몸담으며 교육자로 자처하며 교육에 집중하며 지내온 시기이다. 교육을 천직이라 여기며 학생들의 인격과 실력을 키우는 일이라면 뭐든 배우고 현장에 적용해가며 학생들과 호흡을 함께 해 오던 때이다. 다음 세대의 리더들을 잘 키워보리라는 굳은 결심과 함께 좋은 교육과 부모님과 함께 소통하며 학생들의 실력을 키우는 일에 집중하던 시기이리라.

두 번째는 시간의 자연스러운 흐름으로 학원을 운영하게 되었다. 수업을 진행하면서 학원을 운영한다는 것은 또 다른 일이었음을 시간이 많이 흐른 뒤에 알게 되었다. 수업을 통해 학생들을 만나고 그들을 잘 가르치면 학원은 절로 잘 운영되는 줄 알았다. 그런데 현실은 그렇게 녹록지 않았다. 하루하루가 참으로 버거웠단 생각이 들었던 때이다. 그렇게 수업과 학원 운영을 겸하며 매일의 고통 속에서 지내오다가 더는 지속할 수 없겠다는 생각으로 그만 정리를 하였다.

세 번째는 지인의 소개로 신도시에 학원을 운영하는 자리에 오게 되었다. 이때는 수업하는 교사, 강사가 아니라 학원 전체를 총괄하는 운영자로서 교육경영자로 자리매김하던 시기이다. 좀 더 효율적이고 성취도를 높이려는 방법들을 찾기 시작했다. 관련 도서들을 찾았고, 관련 자료들을 연구해가며 찾고 구하던 자에게 준다고 했던가. 관련 세미나가 있으면 찾아서 듣고 하면서 차츰 개념을 제대로 이해하기 시작했다. 그 덕분에 학원은 빠른 시기에 자리매김할 수 있었다. 지금도 많은 원장님의 로망인 학원의 매뉴얼화, 학원의 시스템화는 이 시기 다 만들게 되면서 그러한 노하우로 교육기업 본사에 원장님들 입문교육을 하기도 하였다.

원장님들을 대상으로 하는 입문교육을 2년여간 강의를 진행하였다. 수업 운영의 실제부터 학원 운영 비결, 학원 관리 노하우 등 이러한 주제로 강의를 하면서 많은 원장님을 만나게 되었다. 개별적으로 문의해오는 분들을 대면하면서 생각보다 학원 운영을 잘하고 싶어 하시는 분들이 많다는 것을 알게 되었다. 나의 노하우를 듣고 싶어 먼 곳에서 찾아오시고 전화로 문의 주시고 말이다. 뭐 하나라도 알고 싶어 하시는 분들께 나 또한 시간을 할애해가며 조금이라도 도움을 드리고자 하였다. 그러한 마음으로 그간 정리해온 자료들을 오픈해드리고 알려드리면서 어느덧 내가 쌓아온 지식과 경험이 누군가에게 도움이 된다는 것이 기뻤다. 이러한 경험이 내가 운영하는 학원을 더욱 탄탄하게 만들고 성장하게 되는 기회가 되기도 하였다. 또한, 그 일을 계속해오면서 지금까지도 그러한 분들이 계시기에 이렇게 글로 정리해보고 있다.

신도시에 오픈할 당시 오픈 시기가 비교적 늦었다. 1월이 아닌 5월은 학생들을 모으기가 쉽지 않았다. 이미 2년 전에 오픈한 주변의 학원들에서 학생들은 한참 수업에 집중할 시기였고 타 학원에 이동할 시기도 아니었다. 그렇게 3개월 기간에 7명이 고작이었는데, 그러한 시기에 학원 운영에 대한 고민과 정리와 각종 매뉴얼들을 정리해가면서 실천해 가며 학원의 체계를 세우기 시작하였다. 그해 말에는 60명, 90명 차츰 늘면서 그 이듬해 초에는 100여 명 120여 명까지 늘어나게 되었다. 학생 수는 120명, 영어, 수학 학원이었으니 과목 수로는 200강좌, 300강좌가 된 셈이다. 초반에 잘 준비해 놓은 매뉴얼과 체제 정비 덕에 탄탄한 입지를 만들어 간 계기가 되었다.

이렇듯 학원 운영은 또 하나의 개념이 필요한 부분이다. 탁월한 교육자라 하더라도 교육기관을 운영하고 조직을 경영한다는 것은 또 하나의 역량을 개발해서 장착해야 하는 부분이다. 내가 걸어온 길에서 얻은 불편함과 마주했던 시간과 고통스러운 시간을 기억하고 있다. 그러한 불편함과 어려움을 알기에 지금이라도 똑같은 처지에 계신 분들이 계신다면 그분들의 편의를 조금이라도 생각해드리면 좋겠다는 마음이다. 그래서 나는 그 부분을 아낌없이 알려드리고 싶다.

이 글은 크게 10장으로 구성되어 있다.

1장. 성공하는 리더의 교육 경영 기획 (성공하는 리더는 기획부터 남다르다)

이 장은 학원장이 성공적인 학원을 운영하기 위한 기획을 위한 과정이다. 성공학원운영을 위해 무엇을 기획해야 하는지에 대한 지침을 제시해준다. 입시의 방향을 알기 위한 진로 입시, 가르치고 하는 대상에 맞는 교육시스템, 효과적인 업무성과를 위한 학원운영시스템의 전체 큰 그림을 개괄한다.

2장. 최적의 타이밍을 반영한 연간 마케팅시스템

이 장은 온/오프라인 마케팅의 방법에 대해 개괄적으로 다룬다. 마케팅의 종류와 적절한 시기에 맞춘 마케팅의 방법, 연간 시스템의 계획에 따른 효과적인 방법으로 학원 성장의 실마리를 찾아본다. 아파트 게시판의 전단 작성하는 방법부터 홍보하는 방법과 적절한 시기, 온 오프라인에서 효과를 거둘 수 있는 마케팅시스템에 대해 알아본다.

3장. SNS 블로그마케팅

학원 마케팅의 일환으로서의 블로그는 마케팅의 본진으로 활용한다. 블로그의 브랜딩을 통해 학원과 원장소개, 학원의 교육철학, 성적향상을 위한 교육 프로그램까지 효과적으로 전달하여 최대 성과를 낼 수 있는 설정까지 진행한다. 블로그, 인스타, 유튜브 등 다양한 채널이 있기는 하겠으나 이 장에서는 블로그를 기본으로 진행한다.

4장. 프로세스로 등록하게 하는 상담 시스템

이 장은 홍보 진행 후 학원으로 걸려오는 전화상담 시 전화상담 하는 방법, 내원하신 학부모님들께 학원 소개와 더불어 등록으로 이어지게 하는 효과적인 상담법, (재원생 상담하는 방법)에 대한 매뉴얼을 소개한다.

5장. 소통의 자리 학부모 간담회, 설명회

학부모 간담회와 설명회를 진행하는 목적부터 진행하는 방법, 사후관리까지 소개한다. 신규생을 유입하는 것뿐만 아니라 학부모와의 찐 소통하는 자리가 되게 하는 비법을 공개한다. 학생 한 명을 위한 학부모의 참여를 유도하고 함께 성장하는 부모를 세워가고 교육의 주체가 되도록 하는 설명회를 기획한다. 이 시간에는 평소의 원장님의 교육철학과 교육과정들을 소개하고 교육의 방향성을 적절하게 안내하되 학생들의 성장 이야기와 앞으로의 비전들을 나누는 시간이 되도록 해야 한다.

6장. 지속해갈 동기부여의 시간, 단기특강

새 학기 전에 진행되는 진로특강과 학기마다 도움이 될 만한 공부하는 방법에 대한 소개 그리고 실력향상을 꾀할 수 있는 방학특강, 시험 전에 진행하는 시험대비 특강으로 학생들의 성적 향상에 이바지해 줄 수 있는 비법을 전수한다.

7장. 비교과 시스템

비교과 관리와 학교생활기록부 관리의 중요성 어필 포인트를 잡는다. 학생/학부모 대상 설명회와 간담회에 활용할 자료를 만든다. 비교과 관리를 통한 우리 학원의 차별화 전략을 기획한다.

8장. 완벽한 재원생 유지의 핵심인 학생과 학부모의 관리

성적과 재등록률을 높이는 차별화된 학습관리 시스템을 구축하는 방법을 안다. 특히 학생들의 과제관리와 오답 관리는 확실하게 챙기고 간다.

9장. 학원의 성장을 극대화하는 강사 시스템 구축하기

학원 규모에 따른 조직구성 및 업무 분담을 통해 효과적인 업무를 진행할 수 있도록 도우며 우리 학원에 맞는 강사 관리 시스템을 만들어 협업을 통해 학원의 성취도를 높여가도록 돕는다.

10장. 학원행정업무

학원 운영의 완성도를 높이는 행정업무를 통해 학원의 일을 간소화하고 업무에 차질이 없도록 한다. 행정직원에게 효율적으로 일을 위임해가는 방법도 살펴본다.

이 책은 학원을 운영하는 데 있어서 알고 있어야 할 큰 그림(틀)이다. 이러한 큰 그림을 갖고 나의 현 위치에서부터 학원 운영의 방향성을 찾게 될 것이다. 지금 내가 할 수 있는 일은 무엇이고, 앞으로 무엇을 준비해가야 하며, 무엇에 중점을 두고 일을 차근차근 처리해 가야 하는지 로드맵이 되어 줄 것이다. 더는 헤매지 말고 생산성과 성과를 올리는 일에 집중할 수 있기를 바란다.

학원을 처음 창업하거나 운영에 어려움을 겪는 분들께 저의 10년간의 실전 노하우를 이 책 한 권으로 모두 가져갈 수 있게 했다. 학원을 처음 창업하시는 분들께 도움이 된다. 교육자에서 교육경영자로 발돋움하려는 분들께는 당연히 도움이 된다. 교육자에서 학원장으로 발돋움하려는 분들께 학원을 운영하는 데 있어서 교육뿐 아니라 운영 역량이 필요하다는 것을 알게 해 드리고 싶다.

또한, 자기경영과 조직경영에 필요한 실질적인 도움과 실천으로 누구든 성공학원을 운영할 수 있다는 것을 알려드리고 싶다. 부디 학원을 처음 창업하시거나 운영에 어려움을 겪는 분들이 저의 그간 쌓아온 지식과 경험의 10년간의 실전 노하우를 모두 가져가기 바란다. 이 글을 읽는 많은 1인 기업가, 예비창업자, 교습소 운영자, 학원장, 교육경영자분들께 실질적인 성과와 수익 창출에 기여하는 책이 될 것이라 확신한다.

2024. 4월 유미정

1장

성공하는 리더의
교육 경영 기획

1장. 성공하는 리더의 교육 경영 기획
(성공하는 리더는 기획부터 남다르다)

이 장은 학원장이 성공적인 학원을 운영하기 위한 기획을 위한 과정이다. 성공학원운영을 위해 무엇을 기획해야 하는지에 대한 지침을 제시해준다. 입시의 방향을 알기 위한 진로 입시, 가르치고자 하는 대상에 맞는 교육시스템, 효과적인 업무 성과를 위한 학원운영시스템의 전체 큰 그림을 개괄한다.

1. 성공하는 리더의 성공학원 기획 노하우

성공하는 학원을 운영하기 위해서는 다음과 같이 큰 그림이 있어야 한다. 크게 세 가지 요소로 살펴보면 다음과 같다. 첫 번째는 성공학원 기획 및 세부전략 세우기, 신규문의 전화 상담 시스템 갖추기, 학원 성장을 위한 마케팅시스템이다. 그리고 두 번째는 오프라인뿐 아니라 온라인을 위한 SNS 중에 가장 기본이 될 만한 블로그마케팅, 학기 중에 이루어지는 내신대비와 방학 중 이루어지는 특강에 대한 준비과정, 소통의 자리로 마련되는 학부모 설명회나 간담회이다. 또한, 세 번째는 학원 성장의 극대화를 이루기 위한 최강팀 파트너인 강사 및 조직을 관리하는 일, 학생들의 인성과 실력을 키워가기 위한 세밀한 학습관리 및 학부모와의 소통과 관리법, 이 외에 입시의 방향을 토대로 학습을 이끌어 줄 수 있을 비교과 영역의 시스템들을 갖추어야 한다. 이러한 큰 그림 안에서 학원을 운영해야 단기간에 성장할 동력이 생기고 그 성장이 지속할 수 있다.

2. (사업) 목표달성을 위한 장기/중기/단기 전략과 Action Plan

자신이 운영하려고 하는 교육에 대한 분명한 목표, 교육 사업에 대한 분명한 목표를 설정해야 한다. 교육(사업)목표 설정을 위한 장기, 중기, 단기 목표를 세운 후 그에 따른 전략과 실행 계획(Action Plan)을 세우도록 한다. 여러분들의 이해를 위해 제가 2019년에 세웠던 학원 운영의 목표들을 공개해보려고 한다. 부족한 부분도 많이 있고 부끄러운 부분들도 있지만 이러한 내용을 토대로 여러분들도 직접 작성해보길 바란다.

먼저 장기목표(5년 후)를 세운 부분을 살펴보자. "학원경영 내실화를 통해 깊이, 넓이를 더해간다. 교육 분야(진로 입시, 학습)와 관련된 학부모, 학생 강연과 저술 활동을 계속해 나간다." 그다음 중기목표(2~3년 후)는 "학원의 안정화를 이룬다. 학부모, 학생 교육 분야 강연가 활동은 계속해 나간다. 진로 입시와 학습 지도, 독서 지도 등 학부모 아카데미(2020년부터)를 진행한다. 청소년 비전특강, 청소년 비전트립을 통해 청소년들의 꿈을 키워주도록 한다." 마지막으로 단기목표(2019년)는 "학원 총괄 지휘 경영 CEO로 진로 입시/교육시스템/운영시스템을 안착시켜서 학원의 목표인 '진로 입시와 학업역량'을 갖춘 학생 100명과 학부모, 강사에게 신뢰받는 원장이 되도록 한다. 진로 입시, 교육(학습) 관련하여 교육강연가 활동과 저술 활동을 한다."라고 당시에 작성해두었다. 이처럼 부끄럽지만 저자 자신의 것을 공개해드리는 이유는 자신만의 목표를 정해놓고 실천해 가면서 학원 성장에 도움이 되기를 간절한 마음으로 공개하였으므로 여러분들도 꼭 작성해보길 권하고 싶다.

3. 성과를 내는 작지만 강한 학원 설계도 만들기 세부전략

앞서 작성한 것을 토대로 좀 더 세부적인 전략이 필요하다. 2019년 당시 단기 목표로 설정해두었던 그해에 과정목표 및 실행계획을 세웠다. 나는 그 당시 교육자에서 운영자, 교육경영자로 전환되는 시기였음을 후에 알게 되었지만 그 당시에는 그 역량이 너무나도 부족하여 학원 운영자로서의 면모를 갖추어야겠다는 생각을 많이 하게 되었다. 그래서 단기 목표로 2019년 학원 총괄 지휘 경영 CEO 되는 그것에 집중하여 구체적인 실행계획을 세웠다.

첫 번째는 원장으로서의 역량을 강화하는 것이다. 이를 위해 학원 원장으로서 조직을 강화할 역량을 키우기, 학관노성실사 과정 비전, 드림, 미션 과정 수강 및 실행, 피드백 후 학원 장착하는 것이다. 두 번째는 강사들의 역량을 키워야 학생이 성장하고 그게 곧 학원이 성장하는 일이라 여겼다. 강사들과 함께 비전 로드맵 워크숍을 학부모 설명회가 진행되기 전에 진행해서 피드백 주고받으면서 강사들의 성장과 성공을 응원하고 그러한 분위기가 유지하도록 힘썼다. 운영&학습 부문 매뉴얼 만들어 공유, 수업에 집중할 수 있도록 행정일 적극적으로 도와주기이다. 세 번째는 학생들의 역량 키워주는 것이다. 학생들의 진로목표-학업역량 키우도록 돕는 멘토 원장으로서 비교과 5단계: 비전 로드맵/진단 및 처방/독서전략/자소서/면접 대비 장착시키기, 진로 입시 10주 실천 학습을 통한 진로 찾기 활동 및 독서 활동(주 1회), 자기주도학습 9주 실천 학습을 통한 동기부여 및 계획, 실행, 피드백(포트폴리오) 해주는 일이다.

　　네 번째는 학부모 간담회이다. 월 1회 진행, 학부모님과 개별 소통하면서 요구 파악, 교육 정보를 제공해주는 일이다. 다섯 번째는 홍보마케팅이다. 학원생 100명 목표달성 후 퇴원생 방지 및 탄탄한 학원 만들기, 성실사 비전반 마케팅시스템 수강 후 적용하면서 학원 입지 다지기이다. 마지막으로 가정을 위한 일이다. 일과 가정의 균형을 이루는 것을 중요시하는 스타일이어서 가정을 위한 목표도 이곳에 추가하여 포함했다. 남편 일 도와주기/설계 및 실행, 피드백, 자녀 진로 입시&학습, 수행평가 도움 주기이다. 목표를 작성할 당시만 해도 걱정 반 기대 반이었는데 시간이 흐른 뒤 많은 원장님과 강연을 진행하고 학원운영매뉴얼 제작과정에서 강의를 하다 보면 시간이 얼마 지나지 않아 다 이루어져 있음을 알게 되었다.

4. 교육(사업)철학, 차별화 상품, 최대 성과를 내는 시스템

만들기

우리 학원을 운영하기 위한 당신만의 분명하고 확고한 교육철학이 있는가? 무엇 때문에 이 일을 하려고 하는가? 이러한 자기 고민은 당연히 했으리라 생각한다. 충분한 고민을 통해 확고한 신념을 가지고 학원을 운영해야 지속할 수 있다. 위기 상황이 올 때 분명 내가 이 일을 왜 하려고 하는지에 대한 숙고의 과정이 있는 사람은 다시금 일어설 수 있다. 또한, 소소하게 일어나는 일들 속에서 의사결정을 할 때도 판단의 근거가 된다. "성적향상을 위한 자기주도학습력을 키워준다", "세계화 시대에 발맞추어 자유로운 영어를 구사하게 한다", "개별맞춤 지도로 완벽한 완전학습을 이루게 한다"등 유창하지 않아도 평소에 자신이 소신 있게 생각하고 있는 것들을 작성해두어 점점 발전시켜나가면 된다.

우리 학원만의 차별화된 프로그램이 있는가? 무엇으로 학생들의 실력을 키워줄 것인가? 국어, 영어, 수학의 교과목으로 하면 우리 학원만이 갖는 특징적인 요소들을 찾아본다. 기본적인 것을 중요시한다는 것도 좋고 더 나아가 심화, 응용을 잘하는 학원이어도 좋다. 자신의 교육철학에 맞춘 좋은 프로그램을 발굴하여 학생들의 실력을 향상해줄 그 무엇인가이면 된다. 다들 하는 파닉스가 아닌 발성 훈련이라 던 지 영어 글쓰기에 중점을 둔 학원이라고 하던지 메타 인지 기반 사고력 수업을 진행한다든지 차별화된 특장점이 있다면 더욱 좋을 것이다.

*운영Tip: 교육경영자 역량과 시스템 측면 진단

<표1> 교육경영자의 자질과 역량 진단

> 작년 한 해 동안 어떤 능력을 키워왔고 올 한해는 어떤 부분의 역량을 키우고 준비하고 계십니까? 성공학원 기획 및 세부전략 세우기 전 오늘은 먼저 여러분들의 교육경영자의 자질과 역량을 점검해보세요.
>
> 교육자에서 원장으로 전환되는 일은 쉬운 일은 아닌데요. 학원을 운영하는 원장이 되었다 해도 원장의 마인드에서 기업가 정신을 갖고 일을 대하는 것도 필요한 부분입니다. 이를 위해 교육자에서 교육경영자로서의 자신의 자질과 역량을 진단해보는 일은 어떨까요? 나의 현재 상태를 점검하고 필요한 요소들은 어떤 것들이 있는지 살펴본 후 하나씩 하나씩 배우고 채워가다 보면 어느새 내가 성장해 있고 학원이 성장해 있는 것을 볼 수가 있을 겁니다.
>
> 교육 경영자의 자질과 역량 어떤 부분이 필요할지 살펴보겠습니다. 교육경영자로서 어떤 자질들이 필요할까요? 아래의 질문들에 여러분들은 낮은 점수 1점부터 높은 점수 10점으로 몇 점을 주실 수 있을지 스스로 점검해보세요.

<질문 10가지>

1. 여러분들은 사업가로서 개인과 조직의 분명한 비전과 목표가 설정되어 있습니까?

2. 사업 비전과 목표가 장기, 중기, 단기로 구분되어 달성기한과 달성목표가 수치화되어 있습니까?

3. 단기 목표를 이루기 위한 세부 실행계획이 작성되어 실천으로 옮기고 있습니까?

4. 여러분은 매출 증가와 수익증가 등 성과를 내는 기획능력과 실행능력을 키우고 계십니까?

5. 교육사업가로 성장하기 위한 꾸준한 노력을 하고 있나요?. 예를 들면 관련 독서를 한다든지 역량을 강화하기 위한 세미나, 교육들을 수강하고 계십니까?

6. 여러분은 사업과 교육 전문 분야에서 정보를 나누고 이끌어 줄 멘토가 2~3명 존재합니까?

7. 3~50명의 조직을 이끌어 갈 수 있는 우호적인 대인관계를 유지할 능력이 있습니까?

8. 개인 또는 조직을 대상으로 한 공약이나 약속을 잘 지켜 남들이 나의 말을 신뢰할 수 있으십니까?

9. 50~100명 내외의 학부모 대상으로 설명회/간담회 진행 능력이 있으신가요?

10. 마지막으로 한글, 파워포인트, 프레지 등을 활용하는 문서제작에 능숙한 편입니까?

되고자 하는 모습보다는 현재 나의 상태를 정직하게 점검하시다 보면 나 자신이 잘 보이실 겁니다. 잘하고 있으신 부분은 계속 강화해나가시고 혹 부족한 부분들이 있으시다면 계속해서 연구하고 채워가시면 교육경영자로서의 리더십을 갖추게 되실 거예요. 올 한해 여러분들은 무엇을 목표로 어떤 부분의 역량을 키워가실 건가요? 여러분의 목표와 노력을 응원합니다. 존재의 성장과 교육 경영 역량을 키워가는데 동행합니다.

<표2> 시스템과 매뉴얼 측면 진단

교육 경영자의 자질과 역량을 점검해보셨나요? 현재 상태에서 점진적으로 향상해 가는 것이 중요하다고 말씀드렸는데요. 오늘은 교육경영자로서의 조직에 필요한 시스템과 매뉴얼들은 얼마나 갖추어져 있는지를 진단해보세요. 원장님들과 매월 진행하는 셀프리더십 과정에서도 4번째 분야가 지식관리, 지식경영, 업무 매뉴얼을 만들어 가는 부분이 있는데요. 그 과정 안에 참여하면서 정리하시고 분류하시고 보관하시는 분들이 참 많으세요. 그 양들이 한 번에 하기에는 좀 많기도 하고 지속하고 업데이트하시는 것도 혼자 하기에는 벅차하셔서 아예 따로 학원운영매뉴얼 제작과정을 별도로 운영해드리고도 있습니다. 저는 이러한 과정이 저의 지식과 경험을 나누는 것을 넘어서서 많은 원장님과 특히 후배 원장님들이 일의 효율성을 높이고 좀 더 여유를 갖고 일을 하셨으면 하는 간절한 마음이 있습니다. 생산성을 높여가는 게 우리가 모두 목표하는 바이니까요.

<질문 10가지>
1. 교육철학과 정체성이 반영된 차별화 시스템으로 이미 지역 내 우수 브랜드를 가지고 있습니까?
2. 다른 학원에 대별되는 우리 학원만의 차별화 상품(프로그램)이 최소 2~3개 존재합니까?
3. 차별화 상품을 경영자인 원장, 교직원, 학부모 학생이 모두 한목소리로 인정하고 있습니까?
4. 연간 홍보마케팅 계획 (비용포함)을 체계적으로 세우고 진행하고 있습니까?
5. 내부 고객 만족을 통해 성과를 내는 홍보 전략을 적극적으로 활용하고 있습니까?
6. 강사의 역량을 키우는 강사역량 강화 시스템이 마련되어 운영되고 있습니까?
7. 신입생 상담 매뉴얼이 공유되어 상담실뿐 아니라 핵심 강사진도 응급상담이 가능합니까?
8. 최적화된 상담 시스템으로 상담 건수 대비 등록률이 80% 이상 성과를 내고 있습니까?
9. 후임자가 문서만 참조해도 80% 이상 업무수행 가능

한 문서관리 시스템이 있습니까?

10. 학생과 학부모 고객관리 시스템이 매뉴얼화되어 효율적으로 활용하고 있습니까?

　어떠신가요? 항목마다 10점 만점에 몇 점을 부여하고 계시는가요? 시스템 매뉴얼화는 선택 아닌 필수입니다. 혼자서는 잘해도 직원이나 강사가 한 명이라도 더 있다면 모든 업무를 시스템하고 매뉴얼화해가는 것은 선택이 아니라 필수입니다. 나 혼자 다 하는 것이 중요한 게 아니라 상대방이 내 생각을 알고 모든 업무의 절차를 알 수 있도록 안내해주어야 조직은 잘 운영된답니다.

　또한, 시스템화하고 매뉴얼화하는 작업은 그것 자체가 목표가 되기보다는 그 일을 통해 궁극적으로 자신이 하고자 하는 일에 더욱 집중하고 몰입할 수 있게 되기 때문에 필요한 일입니다. 이런 업무의 단순화 작업을 통해 학생들을 더욱 정성껏 지도하고 학부모님들과의 소통을 통해 학생들의 성장을 꾀할 시간적 여유가 되실 겁니다. 여러분들의 수고가 헛되지 않게 되기를 바랍니다.

　이런 작업이 내가 그동안 해오던 일들을 더욱 단순하게, 더욱 여유롭게 만드는 일은 아닐지 생각해봅니다. 일의 본질적인 일에 더욱 매진하고 창조적인 기획을 해가는 일에 시간을 투자할 수 있게 만듭니다. 원대한 여

러분들의 목표를 이뤄가시는 지렛대 역할이 되기를 바
랍니다.

2장

최적의 타이밍을 반영한
연간 마케팅 시스템

2장. 최적의 타이밍을 반영한 연간 마케팅시스템

이 장은 온/오프라인 마케팅의 방법에 대해 개괄적으로 다룬다. 마케팅의 종류와 적절한 시기에 맞춘 마케팅의 방법, 연간 시스템의 계획에 따른 효과적인 방법으로 학원 성장의 실마리를 찾아본다. 아파트 게시판의 전단 작성하는 방법부터 홍보하는 방법과 적절한 시기, 온 오프라인에서 효과를 거둘 수 있는 마케팅시스템에 대해 알아본다.

1. 최적의 타이밍을 반영한 연간학원 마케팅 계획 및 Action Plan 기획

최적의 타이밍을 반영하여 연간학원 마케팅을 계획하도록 한다. 1년 100명의 학생을 모집하려고 한다면 전반기 50명 하반기 50명의 목표를 세운다. 그리고 분기별로 나눈다. 1분기에 30명, 2분기에 30명, 3분기에 30명, 4분기에 30명을 목표로 세운 후 매월 10명씩 학생을 모집하기 위해서 1주에 2.5명씩 모집할 구체적인 실행계획을 기획한다.

학원을 개원한 시기를 기점으로 3개월 이내에 목표한 바를 달성하도록 해야 한다. 학원이 새롭게 개원했다는 것도 알리고 꾸준히 홍보해야 한다. 1, 2월은 방학특강을 진행하여 재원생들의 실력을 키워주는 것뿐만 아니라 신규생들이 유입될 기회를 주어야 한다. 또한, 이 기간에는 3월 새 학기를 대비하여 전단을 만들거나 현수막으로 학원의 입지를 계속 알려가는 것이 중요하다. 새 학기 입학을 축하하는 이벤트를 준비하여 새롭게 학원을 알아보거나 새 학기 신입생들을 표적으로 마케팅을 펼쳐가야 한다.

1, 2학기에 있는 내신기간에는 단기특강으로 진행을 하여 재원생뿐 아니라 새로운 학생들을 받기도 한다. 시험 중간의 응원 메시지와 도시락이나 간식을 제공할 수 있다. 시험이 끝나고 난 후에는 격려 및 위로회 시간으로 용기를 북돋아 준다. 6월 정도면 7, 8월에 진행될 여름방학 특강이나 특화된 수업으로 수업의 질을 높이며 신입생들의 참여를 유도해 볼 만하다. 매년 11월이면 중3 학생들이 일찍 시험이 끝나는데 졸업파티를 통해 그동안의 수고와 성취의 열매들을 마음껏 칭찬해주는 자리를 마련한다..

2. 미디어를 활용한 삼중 학원 마케팅 방법

학부모들이 학원을 알아보게 될 때 네이버에 그 학원 이름을 검색해보고 온다. 그러므로 SNS의 본진이라 할 수 있는 블로그는 필수이다. 스마트플레이스를 신청하여 학원의 이름과 위치를 바로 볼 수 있도록 하는 것이 좋다. 그리고 블로그의 내용에 꼭 들어가면 좋은 것 3가지는 어떤 학원인지를 소개하는 것, 이 학원의 장점이나 수업특징, 수업 시간이나 수업현장의 모습들을 보여주면 신뢰감을 줄 수 있다.

이 외에 인스타, 유튜브, 당근마켓 등으로 순차적으로 연결하는 방법이다. 여러 가지를 한꺼번에 하려고 하기보다는 한 가지를 제대로 해놓은 후 차츰 진행해가는 것이 좋다. 이때 꼭 필요한 부분은 주요대상 학년과 교과목, 지역을 알려주어 원하는 대상을 찾고 우리 학원에 왔으면 하는 대상들을 상대로 마케팅을 하는 것이다.

나는 주로 맘카페를 이용하여 시장조사를 한다. 학부모님들이 무엇에 관심 있어 하는지 어떤 글에 반응하는지를 살펴보곤 한다. 조회 수가 높은 글을 클릭하여 읽어보기도 한다. 조회 수가 높은 글을 쓰는 방법도 역으로 배울 기회가 되기도 한다. 그러면 거기에서 힌트를 얻어 내 블로그에 학부모님이 궁금해하실 만한 주제를 가지고 와서 글을 작성해놓는다.

3. 마케팅 효과를 높이는 학원 마케팅 제작하기

가장 쉽고 실질적인 방법은 전단이다. 전단을 만드는 것부터 시도해보길 추천하고 싶다. 그 이유는 전단 한 장에 들어갈 내용을 다음의 순서로 만들게 되면 학원의 중요한 요소들이 정리되기 때문이다. 예를 들어 전단을 만든 때 제일 상단에는 헤드 카피, 가운데 부분은 주요 특징 3가지, 하단에는 어필 강조하는 방법이다. 주 대상에게 어떠한 혜택으로 호감을 살 것이지가 큰 제목에 해당된다.

최근 1월에 수강생 10명을 모집하려고 전단을 만들었다. 맨 위에는 헤드 카피를 작성했다. "동탄 호수 부영 1단지 학부모님 희소식" 동탄 호수에 사는 학부모는 어떤 희소식일지 궁금해하며 다음의 본문을 읽게 된다. 가운데에는 원장이 어떤 사람인지, 어떤 성과를 냈는지를 3가지 정도로 작성하였다. 그리고 수업의 특징을 크게 3~4가지로 정리해보았다. 자주 사용하던 말들과 평소 즐겨 말하고 중요시 여겼던 교육의 철학과 수업의 특징을 정리하여 수정하기를 몇 번 반복하였다. 마지막에는 우리 학원을 어필할 수 있는 것 한 번 더 강조하는 방법으로 등록하게 만들고자 하는 동사형을 마무리를 지었다. "제대로 된 OO 수업을 찾고 계셨던 분들만 전화해 주세요"

최근 맘카페를 통해 수강생 모집 글을 올렸다. 직접적인 광고 글을 강제로 퇴장당하기 딱 좋으므로 사는 지역의 아파트명에 "동탄 호수 부양 1단지 학부모님 희소식"이라는 제목으로 글을 작성했다. 어떤 희소식인지 궁금해하실 만한 것을 몇 줄 써 내려갔다. 원장소개와 더불어 수업특징과 커리큘럼을 원하시는 분은 채팅으로 연락을 달라고 했다. 채팅으로 문의하는 분들이 20명 이상이나 되었다. 2주 차에 모집 마감일과 개강일을 알려주면서 한 번 더 각인시키고자 공지글을 작성하였더니 조회 수가 1,000 이상이 되었다. 2주 차에 올린 글을 읽다 보니 앞의 글이 궁금했나 보다. 그래서 1주 차에 올린 글의 조회 수가 1,000 이상이 되었고 2주 차에 올린 글의 조회 수는 800 정도 된다. 3주 차에 이제 드디어 2월 1일인 내일 개강하게 되었다는 글을 작성하면서 한 번 더 노출을 시켰다. 그렇게 맘카페를 활용하여 등록한 인원이 6명이 되었다.

온라인 못지않게 오프라인의 홍보도 중요하기에 아파트 전단 게시를 하였다. 1, 2단지에 전단을 게시하자마자 문의가 왔다. 문의 전화는 10건 이상이었고 실제 등록한 학생은 4명이 되었다. 이렇게 1월 한 달간 온라인 오프라인 마케팅을 통해 10명을 모집하였다.

3장

SNS 블로그 마케팅

3장. SNS 블로그마케팅

학원 마케팅의 일환으로서의 블로그는 마케팅의 본진으로 활용한다. 블로그의 브랜딩을 통해 학원과 원장소개, 학원의 교육철학, 성적향상을 위한 교육 프로그램까지 효과적으로 전달하여 최대 성과를 낼 수 있는 설정까지 진행한다. 블로그, 인스타, 유튜브 등 다양한 채널이 있기는 하겠으나 이 장에서는 블로그를 기본으로 진행한

1. 왜 브랜딩 블로그인가?

학원 마케팅의 일환으로서의 블로그는 마케팅의 본진으로 활용한다. 예전에는 블로그라 하면 소소한 일상을 기록하오는 것으로 사용되곤 하였다. 그러나 어느 때부터인가 나를 알리고 사업의 목적으로 마케팅의 도구로 자리매김하여 간다는 사실을 모두가 익히 아는 터이다. 나 자신을 알리고 나의 상품을 판매하는 도구로서 말이다. 좋은 정보들과 좋은 가치가 담긴 블로그여야 사람들이 구독하기에 유용한 소식들을 제공해주는 블로그들이 참 많다.

원장님을 알리고 우리 학원의 좋은 교육을 제공한다는 것을 알리는 일이 필요하다. 나 자신의 매력을 보이는 것이 익숙지 않은 분들도 더러 있을 것이다. 그렇지만 이러한 일은 나 자신을 자랑하는 일이 아니다. 고객에게 나 자신이 어떤 생각을 하고 이 일을 하고 있는지를 알려주는 것이 최소한의

예의이고 배려이다. 가진 교육 프로그램을 잘 설명해주는 것도 고객 친화적인 마음을 가진 것이다. 그게 곧 세상에 선한 영향력을 끼쳐가기 위한 준비작업이다. 그래서 나 자신을 브랜딩을 하고 그러한 내용을 담아 블로그에 담으면 된다.

2. 프롤로그 세팅하는 방법(학원 매출 폭발시키는 카테고리 전략)

1) 학원명 소개

학원 소개, 원장 인사말, 교육철학, 수강료, 시간표, 위치 소개, 학원 소개
블로그를 처음 방문할 때 이 블로그의 주인장이 어떤 사람인지를 소개하면 좋다. 혹은 학원을 소개하는 것도 좋은 방법이다. 많은 원장님의 블로그를 방문하다 보면 학원 소개부터 찾곤 한다. 이 학원은 어떤 생각으로 어떤 프로그램으로 어떻게 교육을 펼쳐가려고 하시는지를 보기 위해서이다. 이렇게 학원을 소개해주면 학부모님들이 이 원장님의 교육철학이나 학원의 방향성을 보면서 자녀들을 보낼지 결정할 수 있다.

2) 정보제공

교과목과 관련된 전문정보, 입시정보, 교육칼럼
교과목과 관련된 정보를 전문적으로 실어준다. 영어, 수학 공부하는 방법, 내신대비 방법 등을 알고 싶어 하기 때문이다. 그리고 고입, 대입과 관련한 입시정책을 쉽고 빠르게 제공해

주는 것도 좋다. 또한, 원장님이 평소 관심 있어 하는 주제의 교육칼럼을 정기적으로 포스팅하여 교육 관련 정보를 제공해 주는 것도 팔로우할 기회를 얻게 된다.

3) 포트폴리오

  학원 실적, 학원 행사, 학생들 수업현장, 관찰기, 수업 Before&After

학생들의 성적향상, 경시대회의 성취도 평가 등 학생들의 실력향상을 엿볼 수 있는 곳이 필요하다. 학생들이 수업에 집중하면서 공부하고 있는 모습이나 학원의 수업현장을 보여주는 사진도 좋다. 공간이 비어있는 사진보다는 학생들이 참여하고 있는 수업의 현장이 훨씬 에너지가 있고 밝아 보이기 때문이다. 학생들을 관심 있게 관찰하는 관찰기도 좋다. 학부모들은 보내기 전의 모습과 이 학원에 보냈을 때의 변화된 모습을 보고 싶어 한다. 이를 위해 준비해가며 블로그에 정성을 쏟아 보도록 한다.

3. 학원 블로그 운영 시 포스팅 주제

[교과]-2022개정교육과정, 자유학기제
[입시]-고등학교 선택기준, 2028 대입개편 안
[비교과]-중고등부 추천도서, 독서습관 키우기
[학습]-자기주도학습을 길러주는 방법, 자기주도공부법 5가지
[부모]-사춘기 자녀와 부모, 사춘기 자녀, 부모의 대처법

위와 같이 블로그는 위와 같이 주제를 정하여 주1~2회 꾸준히 작성하도록 한다. 입시와 교육 정보를 꾸준히 제공한다. 영어와 수학 교과목 공부에 대한 학습방법을 제공해주는 것도 좋다. 최근에는 챗GPT, AI인공지능을 활용한 블로그의 포스팅도 다양한 주제들로 쉽게 접할 수 있게 되었으니 참고하여 진행하면 된다.

4. 고객 중심의 마인드와 마케팅 감각(실질적 도움과 선한 영향력)

고객 중심의 마인드와 마케팅 감각을 갖는 것은 교육을 중심으로 펼쳐가는 분들에겐 쉬운 일이 아니다. 나 중심의 마인드에서 고객 중심의 마인드로 전환하기까지는 상당한 시간이 필요하다. 왜냐하면 티칭 중심의 학원과 교습이 익숙한 곳에서는 내가 잘 가르치는 원장이고 나 자신의 매력을 보여온 탓이기도 하다. 그래서 내가 잘 가르치고 내가 잘하면 홍보가 되고 고객은 알아서 절로 찾아온다고 생각하기 때문이고 그런 시절에서 성장하게 된 학원들도 더러 있기 때문이다. 그래서 언제나 고객이 나를 알아서 찾아와 줄 그것으로 생각하는데 이를 두고 혹자는 일명 '연예인 병', '공주병'이라고 일컫는다. 어쩌면 우리가 모두 이 병에 걸려있는지도 모른다.

학원 마케팅에서는 분명 명심할 일이 있다. 나 중심의 사고에서 고객 중심의 생각을 하는 것이다. 고객이 필요한 것이 무엇이고 무엇을 고민하고 있으며 어떻게 해결해줄 것인가를 늘 상기하는 것이다. 그들에게 실질적인 도움을 주고자 고민하는 것에서부터 마케팅은 시작된다. 마케팅이라는 것이 물건을 팔기 위한 작업만을 말하는 것이 아니다. 고객의 문제의 본질을 파악하고 해결책을 제시해 주는 것 그게 바로 고객 중심의 마인드와 마케팅 감각이 있는 사람이다. 쉬운 말로 실질적인 도움을 드려 선한 영향력을 행사해가는 일이다. 이런 진심이 통할 때 고객이 당신을 찾게 된다. 그게 바로 학원의 성장과 비례 된다.

5. 시장조사는 어떻게 하는가?

시장조사는 각 지역의 맘카페를 활용한다. 부모님들이 관심 있어 하는 주제가 어떤 것이 있는지 볼 수 있다. 자주 올라오는 글들도 살펴본다. 조회 수가 가장 많은 글은 어떤 것들이 있는지 보면 어떤 것에 관심을 두고 클릭을 많이 하는지 볼 수 있다. 관심 있어 하는 주요과목이나 주요대상 학년도 볼 수 있다. 성적 올리는 방법이나 상위권, 하위권 학생들의 집중적으로 관리하거나 그런 학생들을 어떻게 지도하여 주는지 관심을 가져볼 만하다. 실제 저자도 직접 집필했던 부모가 먼저 알아야 할 자기주도학습의 일부분으로 '최상위 학생들의 공부법' 관련 글을 책 공유하기 카테고리에 올렸더니 조회 수가 1,000이 넘어서 카페주인장께서 조회 수 많은 공유 글에 내 글이 업로드되기도 하였다.

4장

프로세스로 등록하게 하는
상담 시스템

4장. 프로세스로 등록하게 하는 상담 시스템

이 장은 홍보 진행 후 학원으로 걸려오는 전화 상담 시 전화 상담 하는 방법, 내원하신 학부모님들께 학원 소개와 더불어 등록으로 이어지게 하는 효과적인 상담법, (재원생 상담하는 방법)에 대한 매뉴얼을 소개한다.

1. 신규생 전화상담 매뉴얼(상담이 100% 등록으로 연결되는 3+1 전략)

(1) 신규 상담 기본 원칙

신규 전화를 받는 상담자는 그 순간 학원의 대표가 된다. 따라서 자신 있는 목소리와 우리만의 교육철학을 상냥한 말투로 친절하게 응대하도록 한다. 모든 신규 상담의 원칙은 진단검사 문자 후 예약 방문을 통해 이루어진다. 해당 통화 시간은 5분을 넘지 않도록 한다. 모든 전화는 친절하게 받으면서로 기분이 좋아지기에 이점 유의하여 지도한다.

학부모가 연락처를 남긴 상담은 신규문의에 대한 감사의 인사를 문자로 발송하도록 하며, 학원의 블로그 주소 링크를 함께 발송하도록 한다. 문자 발송은 데스크 직원이 발송하는 것을 원칙으로 하되, 담당 직원이 부재 시에는 부원장님, 원장님 순으로 문자 발송 요청을 하도록 한다. 학원 입학 등 신규 등록 문의 전화는 다음과 같이 우리 학원의 예약상담제

도를 먼저 안내한다.

학부모: "네, 안녕하세요. 학원 입학 관련해서 문의 좀 드리려고 하는데요"

학원 측: "네, 어머님. 입학 관련 말씀이시죠? 우리 학원은 입학 상담은 예약제로만 운영하고 있습니다. 신규 상담 절차는 먼저 학생이 두가지 진단검사를 봐야 하고요. 그 결과를 바탕으로 결과상담이 이루어집니다. 상담 예약을 잡아드릴까요?

신규 상담 전화의 원칙은 5분을 넘기지 않는다. 따라서 통화가 길어지는 경우 앞의 내용같이 안내하며, 학원과 관련된 자세한 정보는 학원의 블로그를 통해 확인할 수 있다고 안내해드리며, 블로그에 접근할 수 있도록 검색방법을 안내해드린다. 또한, 이 경우 학부모님들의 핸드폰으로 블로그 링크 주소를 문자 발송하도록 한다.

(2) 수강대상

초중등 대상인지, 상대방이 수강대상 여부를 묻는 말에 다음과 같이 답변하도록 한다. "우리 학원은 초등학교 4학년부터 수업을 하고 있습니다." 초등 3학년부터

저도 학원을 처음 오픈했을 때 실패라면 실패한 것이 있다. 그것은 초중등만 하던지 중고등만 해야 했을 텐데, 입시와 밀접한 고등을 하고 싶어서 초중고를 다하게 되면서 초중등 위주의 강사들은 고등이 어렵고 중고등 위주의 강사들은

초등을 꺼리고 결국 고등 전문 강사들을 별도로 채용해서 일하게 하니 인건비 부분에서의 부담이 어마어마하게 컸다. 지금 와서 생각해보니 후회되는 일 중의 하나이다. 다시 한다면 아마도 강사를 채용하는 부분에서도 초등 위주로 시작할 것 같다. 시간도 적고 첫 달부터 수익을 내고 시작할 수 있기를 바란다.

(3) 학원 수업 및 프로그램

1) 우리 학원의 특징

우리 학원은 개별맞춤 완전학습을 하는 학원입니다. 학생들은 학교 성적이 똑같다고 하더라도 서로 잘하는 부분과 어려워하는 부분이 서로 다르므로 개별맞춤 학습이 되지 않는다면 배워도 모르고 넘어가는 부분이 많을 수밖에 없습니다. 그러므로 개별맞춤 교육은 매우 중요합니다. 또한, 저희는 완전학습을 지향하는데요. 완전학습은 학생들이 배운 내용을 모두 완벽하게 이해하고 넘어갈 수 있도록 주기적으로 반복 학습을 하는 것을 중요하게 생각합니다. 마지막으로 우리 학원은 개념학습을 매우 중요하게 생각합니다. 잘 알고 계시는 바와 같이 수학은 개념을 가볍게 공부해서는 절대로 만점을 받을 수 없는 과목입니다. 따라서 저희는 학생들이 개념을 잘 익히도록 지도하고 있습니다.

2) 초등부 수업의 특징

우리 초등부는 학생들이 학습에 흥미를 붙일 수 있도록 하는 것을 중요하게 생각합니다. 따라서 초등과정에서는 학습자의 수학적 흥미를 높일 수 있는 사고력 수업, 토론식 수업, 협동 학습 등 다양한 프로그램을 두고 있습니다. 그 밖에는 중등학년으로 진학했을 때 높은 성적을 받을 수 있도록 커리큘럼을 구성하고 있습니다.

3) 중등부 수업의 특징

우리 중등부는 학생들이 자기 스스로 공부를 할 수 있도록 자기주도력을 높여주는 것에 중점을 두고 있습니다. 특히 고등학교 올라가서는 이러한 자기주도학습능력이 부족하면 여전히 주입식 교육에 의존할 수밖에 없고, 이러한 주입식 교육으로는 절대로 좋은 성적을 받을 수 없기 때문입니다.

4) 수업시간표

-수업요일
초등부 수업 요일은 월~금, 월수금반, 화목반이 있고, 수업은 2시부터 6시까지 진행됩니다.
중등부 수업 요일은 월수금반, 화목토반이 있고, 수업은 6시부터 9시 집행됩니다.

-보충 수업 시간
보충수업이 필요한 경우 수요일 3시 20분부터 5시까지 진행되고, 토요일은 12시부터 1시 40분까지 진행됩니다.

5) 보강 규정

학교의 공식 일정, 가정의 대소사 당연히 보충해준다. 개인이 놀다가 빠질 때 한해서는 공식적인 보충을 진행하지 않는다는 원칙을 미리 말씀드려놓는다. 가족여행이나 미리 말씀해주시는 부분에 한해서는 보강을 해준다.

6) 수강료 및 학원 정책

학년별 수강료와 수강료 할인 정책을 소개한다.
소개 할인 정책이나 재원생 소개 첫 달 할인 혜택을 드리고 있다.

7) 신규등록절차

진단검사를 응시하고, 응시 결과를 바탕으로 원장님과 결과상담을 한다. 때에 따라 우리 학원 프로그램이 학생에게 도움이 되지 않는 학생이 있을 수도 있다는 그것을 사전안내해준다. 입학이 결정되면 반 배정을 하고, 신입생 OT를 진행하고 후 수업이 이루어지도록 안내한다.

8) 등록 후 입원절차

-신입생 OT
신입생 오리엔테이션을 매주 토요일 오전 10시에 1시간가량 매월 진행하는 방법도 있다.

-퇴원 정책
퇴원은 무단결석이 3회 이상이거나, 숙제 미완성 3회 이상 등 학생의 학습 태도가 좋지 않으면 퇴원 조치합니다. 이 밖에 입학 시 제공한 '학원 생활 및 학습 규칙'자료와 같이 학원의 규칙을 어기는 경우 퇴원 조처될 수 있습니다.

2. 우리 학원의 신규문의 전화상담 매뉴얼 완성하기

우리 학원에 맞는 신규문의 전화상담 매뉴얼을 완성하여 비치해 놓는다. 실제로 걸려오는 전화를 받으면서 메모해 놓는 것도 방법이다. 학부모가 궁금해하는 질문들에 답을 하면서 Q&A 방식으로 정리하는 것도 좋다. 전화 상담할 경우 녹음을 해두었다가 그것을 문서로 다시 작성해놓기도 한다. 행정직원이나 상담실장이 있다면 그분들이 원장님이 상담하는 내용을 함께 듣게 하여 그러한 내용을 정리하는 때도 더러 있다.

앞서 1번 항목에서 말씀드린 방법을 토대로 여러 가지의 방법도 있으니 각자가 편한 방식대로 정리해놓는다. 거듭 강조하지만, 활용 가능한 매뉴얼이어야 한다. 미리미리 준비해 놓은 후 모든 직원이 평상시에 충분히 숙지하게 한다. 현장에서 변경사항이 있을 시 바로바로 수정해 놓는다. 신규문의 전화상담을 할 때 강사와 직원, 신규강사 등 모두가 바로 친절한 상담을 통해 우리 학원의 입지를 다지게 하는 중요한 요소이다.

3. 신규생 대면 상담 매뉴얼 구축(학부모의 신뢰를 얻는 상담 대비하기)

학원을 처음 방문했을 때의 학원의 이미지는 중요하다. 로비에 무미건조하지 않도록 잔잔한 음악이 흐르도록 하는 것도 좋다. 따뜻한 차와 미리 준비된 상담자료를 준비하여 학부모를 맞이하도록 한다. 상담자료 책자 안내문에는 학원안내 소책자와 간단한 방문 선물을 동봉해놓는다. 입학원서에 입회 상담 자료를 작성하도록 하여 학부모님의 요구를 파악하도록 한다. 교육 커리큘럼 프린트물은 필수다. 모든 학부모님이 가장 궁금해하는 부분이기에 미리 비치하여 준비해 놓는다.

우리 학원이 무엇을 해줄 수 있는지를 말하기 전에 학원을 방문하게 된 이유를 질문하고 듣는 것이 좋다. 어떤 필요가 있는지, 무엇을 필요로 하시는지 잘 경청한 후에 학원 소개를 시작해도 늦지 않다. 우리 학원은 어떤 마인드로 어떤 수업의 방향으로 학생들을 지도하려고 하는지, 무엇을 중요시하는지 등 간단명료하게 설명을 해 드린다. 이때 주의할 점은 많은 정보를 나열하여 드리기보다는 확신에 찬 교육철학으로 상담자에게 이렇게 공부를 시켜야 한다고 설득해 나가는 과정이 훨씬 등록률이 높다.

4. 재원생 상담 매뉴얼 구축

신임 강사이든 경력이 있는 강사이든 재원생 학부모에게 전화상담 하는 것은 부담스러운 일이다. 그러나 재원생 상담도 다음의 몇 가지 정도만 알고 있고 미리 준비되어 있으면 수월하게 진행할 수 있다.

(1) 전화하기 전 준비사항

1) 학생의 인적사항: 이름, 학년, 형제자매 등원 여부, 정보를 많이 알수록 어머니와 상담이 원활할 수 있다.
2) 학생의 장점: 최소한 3가지 칭찬 거리를 준비한다. 학습에 관해서 2가지, 생활이나 태도에 관해서는 1가지 정도 준비한다. 학생의 단점은 1가지 정도면 된다.
3) 어머니 유형: 어머니에 대한 사전 정보를 가지고 전화한다.

(2) 실제 전화할 때

1) 첫인사 멘트-안녕하세요. 00 학원 00 담임 000 선생님입니다. 지금 통화가 가능하신지요? 저와는 영어/수학을 공부하고 있는데 00학생은 잘하고 있습니다/ 잘/ 대체로/ 대체로 잘/ 조금 힘들어합니다.
2) 이때 힘들어하는 부분이 있다면 어떤 부분을 힘들어하는지 구체적으로 말씀드리고 잘 하는 부분은 특별히 어느 부분인지 말씀드린다. 그리고 힘들어 하는 부분에 대해서 선생님

이 어떻게 대책을 가지고 지도하고 있거나 지도할 계획인지 미리 준비하고 전화한다.

 3) 잘 하는 학생이라면 앞으로도 잘 지도하겠다고 말씀드리며 상담을 마무리하고 부족한 부분이 있는 학생이라면 학원에서 어떻게 진행할 것인지 다시 한번 간단히 말씀드리고 어머님께 인지시켜드리고 마무리한다. 마무리 할 때 간단한 계절, 행사, 명절 등의 인사를 해주는 센스를 발휘하는 것을 추천한다.

5. 교과목 상담 매뉴얼

1) 영어 과목에 대한 전문성 확보
-Why: 교육철학,
-What: 커리큘럼&로드맵
-How: 교수법

2) 수학 학원을 위한 교과목 전문 상담 시 2가지 포인트
-위의 방법을 토대로 우리 학원에서 중점적으로 지도하는 부분
-과제관리, 오답관리하는 방법에 대한 포인트만 간단히 설명

3) 국어, 논술 등
-논술이 필요한 이유와 초중고 체계적인 논술의 특장점
-국어 내신대비는 어떻게 준비해줄 것인가? 4주 내신대비 전략 등

5장

소통의 자리
학부모 간담회, 설명회

5장. 소통의 자리 학부모 간담회, 설명회

학부모 간담회와 설명회를 진행하는 목적부터 진행하는 방법, 사후관리까지 소개한다. 신규생을 유입하는 것뿐만 아니라 학부모와의 찐 소통하는 자리가 되게 하는 비법을 공개한다. 학생 한 명을 위한 학부모의 참여를 유도하고 함께 성장하는 부모를 세워가고 교육의 주체가 되도록 하는 설명회를 기획한다. 이 시간에는 평소의 원장님의 교육철학과 교육과정들을 소개하고 교육의 방향성을 적절하게 안내하되 학생들의 성장 스토리와 앞으로의 비전들을 나누는 시간이 되도록 해야 한다.

1. 학부모 간담회, 설명회 연간 계획

학부모 설명회를 하긴 해야겠는데, 어디서부터 어떻게 해야 할지 막막한 경험이 있을 것이다. 학부모 설명회도 연간 마케팅시스템처럼 연간 계획을 세워서 진행할 수 있다. 아무래도 신학기 시작 전에 진행해서 새 학기 신입생들을 많이 모집하여 1년 동안 지도할 학생들 있으면 좋기 때문이다. 봄, 가을 학기 전, 방학 전에 방학학습을 위한 설명회, 2학기 기말고사가 끝날 즈음에는 겨울방학과 함께 다음 학년 준비를 위한 과정을 안내해주도록 한다.

2. 학부모 간담회, 설명회 전 무엇을 준비해야 할까?

브레인스토밍을 통해 학부모 설명회, 간담회의 연간 주제를 정한다. 그동안 진행해 온 주제들을 살펴보면 다음과 같다. 연초나 학기 초에는 대입개편에 따른 학습전략, 교육 변화 및 교육과정, 예비 중1을 위한 현명한 예비 중등 학습전략, 우리 학원만의 교육시스템과 커리큘럼 소개, 시험대비 전에 흔들리지 않는 1등 시험대비 전략, 자기주도학습 관련하여 진짜 공부하는 방법, 상위 1%들의 공부법 등 입시 흐름과 입시 방향에 맞춘 입시의 내용과 현재 초중등학생들이 실질적으로 도움이 될만한 주제로 설명회의 방향과 주제를 정한다.

학부모 설명회가 진행되기 전 최소 3주 전부터는 설명회 준비를 한다. 3주 전에는 참석할 학생 명단을 확보한다. 2주 차에는 장소를 선정하고 안내문을 발송한다. 1주 차에는 문자 발송과 참석하신 분들의 선물을 준비한다. 재원생 학부모님들의 참석뿐만 아니라 문자나 관련 내용의 링크를 발송사여 소개이벤트를 진행할 수도 있다. 그래서 모객이 될 기회를 얻는다.

3. 소통을 학부모 간담회, 설명회 진행 노하우

학부모 설명회를 진행하는 목적은 재원생들의 입지를 다지는 것이다. 그리고 신입생 등록을 위한 기회로 삼아야 한다. 연간으로 진행할 경우 매월 주제별로 진행하는 것도 좋다. 변화하는 입시정책에 대해서 학부모들은 궁금해하시기 때문에 입시정책을 진행한다. 2부에는 각 교과목의 수업 과정과 공부방법에 대해 안내를 해 드리면 좋다. 3부에서는 간략하게 우리 학원에서의 수업 진행방식을 안내해드리면 달라지는 입시정책에 맞추어 우리 학원도 그에 따라 학습을 준비해준다는 믿음이 생긴다.

이때 설명회가 아닌 간담회로 진행되는 예도 있다. 학부모는 본인의 자녀에 대한 일대일 상담도 좋아하신다. 자녀의 현 상태를 진단하고 1년 후, 2년 후의 학습계획을 말씀을 드린 후 공부해야 할 방향을 잡아드리면 맞춤식으로 되면서 눈높이에 맞는 시간으로 만족스러운 시간이 될 수 있다. 간담회역시 설명회와 같이 입시 관련된 정보와 교육과정 그리고 우리 아이의 학습상황을 말씀드리면서 앞으로의 비전까지 제시해드린다. 간단한 브리핑 후 개인적으로 1:1질문을 통해 궁금하신 사항들을 해소할 수 있도록 하여 우리 학원에 보내는 믿음과 확신을 심어드린다. 이때 간단한 다과와 따뜻한 차, 커피를 준비하면 분위기가 훨씬 부드러워진다.

4. 학생의 성장을 통한 학원 성장으로 이어지게 만드는 학부모 설명회

설명회를 위한 설명회가 아닌 처음 입회 시 상담 드렸던 우리 학원만의 공약과 같은 정책들을 이행 여부를 알려드리는 자리가 되어야 한다. 학생들의 실력향상이 우선이 되어야 한다는 말이다. 학원의 본질적인 업무는 학생들의 실력향상이다. 이를 간과한 마케팅이나 학부모 설명회는 의미가 없다. 학생들의 성적향상사례나 변화된 모습이 학원을 성장하게 만든다. 기초부터 뭐든 튼튼히 잡고 가야 할 일이다.

5. 학부모 간담회, 설명회 사후처리

학부모 설명회를 마친 후 학부모님들께 감사의 인사로 문자를 드린다. 참석해주셔서 감사하다는 글과 함께 이후 상담 예약 일정을 안내해드려 예약 신청을 받는다. 그래야 학원에 다시 방문해서 등록으로 이어질 수 있다.

6장

지속해갈 동기부여의 시간, 단기특강

6장. 지속해갈 동기부여의 시간, 단기특강

새 학기 전에 진행되는 진로특강과 학기마다 도움이 될 만한 공부하는 방법에 대한 소개 그리고 실력향상을 꾀할 수 있는 방학특강, 시험 전에 진행하는 시험대비 특강으로 학생들의 성적향상에 이바지를 해줄 수 있는 비법을 전수한다.

1. 새 학기 준비를 위한 진로와 세부능력과 특기 사항 준비 특강

현재의 교육과정은 진로를 중요시한다. 자신의 진로를 정립해 놓은 학생들이 유리하다. 앞으로 무슨 일을 하고 싶으며 어느 대학과 학과를 목표로 공부를 하면 좋을지 진로설계가 되어있는 학생이 공부를 대하는 태도가 다를 수 있기 때문이다. 관련 자료와 논문 그리고 독서와 다양한 활동을 통해 자신의 진로의 성숙도를 높여가는 것이다. 자신의 진로가 구체적이면 구체적일수록 학교 수업 시간에 배우는 교과목에서도 관심도가 높아지면서 수업 참여가 쉽다. 좀 더 깊이 있는 공부가 필요하면 관련 자료를 더 찾아보거나 학교 선생님께 자문하며 도움을 받을 수 있게 된다.

혹은 진로를 정하지 못했다 해도 이제부터라도 자신의 진로를 정하면 된다. 내가 무엇에 흥미가 있고 무엇을 잘하고 못하는지를 알아가는 기회를 얻도록 하면 된다. 관심 가는 것 중심으로 차츰 접할 기회를 얻어보면 좋다. 요즘은 학교에서 진로관심도에 관해 접할 기회가 많다. 홀랜드 검사나 커리어 넷 등 무료로 검사해볼 수 있는 사이트들을 이용해보는 것도 좋다. 원하는 진로의 방향을 위해 마음만 먹으면 자신의 진로와 적성을 알 방법들이 많기 때문에 이를 잘 활용하여 자신의 진로의 성숙도를 높여갈 수 있다.

이렇게 자신의 진로 방향을 정한 후 학교 수업 시간에 다양한 교과목을 배우면서 진행되는 모든 활동을 세부능력과 특기 사항에 잘 정리가 되어 기록이 될 수 있도록 준비해야 한다. 주요교과목에서 심화한 수업과 자기주도학습으로 더 탐구해볼 만한 활동이나 프로젝트들을 준비하고 진행하면서 세부능력과 특기 사항에 모든 학습 생활과 활동들이 기록으로 남을 수 있도록 준비해 놓는다. 학교 선생님과도 사이가 좋아지고 급우들과도 협력하려는 모습에서 좋은 인상을 받게 한다.

2. 효과적인 학교생활과 성적향상을 위한 공부법 특강

효과적인 학교생활

성적향상을 위한 공부법을 특강을 통해 진행한다. 본인의 저서인 「부모가 먼저 알아야 할 자기주도학습의 비밀」 (유미정 저)의 교과목의 공부법을 참고하기를 바란다.

성적향상을 위한 공부법 특강

예습

학기 중
복습

수업 시간 집중하기

많은 학부모는 '우리 아이가 학교 수업 시간에 집중을 잘하고 있을까?'하고 궁금해한다. 부모들은 아이가 학교든 학원에서든 아마 수업을 잘하고 있을 그거로 생각하고 기대한다. 모든 부모의 바람처럼 아이가 학교 수업 시간에 집중하며 학업에 열의를 가지고 잘 참여하면 얼마나 좋을까? 이제 수업 시간에 어떻게 하면 아이가 집중하며 잘 참여할 수 있을지 그 비결을 함께 나눠보려고 한다.

수업 시간에 집중하는 법

수업 시간에 잘 참여하기 위해서는 마음속으로 질문을 하며 참여하는 방법이 있다. 이를 위해서는 당연히 예습이 필요하다. 예습하라고 해서 전체적으로 많은 양을 다 알아야 하는 것은 아니다. 예습보다는 복습에 비중을 많이 두는 게 학습적으로는 더 효과적이다. 예습은 내일 배울 과목들에 대해 준비를 하면서 어떤 내용을 배우게 될지 대략 살펴보면서 질문을 던져 보는 것이다. 이러한 질문이 있고 수업에 참여하면 내가 알고 있는 것과 모르는 것들을 선생님께서는 어떻게 설명하는지 알 수 있고 수업이 흥미로워진다. 내가 아는 것을 설명할 때는 '어, 저거 내가 아는 내용인데?' 하며 선생님의 수업을 더욱 경청하고 눈빛이 반짝반짝 빛나게 된다. 혹은 '어,

저거는 내가 모르는 내용인데?'하며 '응, 저런 내용이구나'라며 알아차리는 기쁨도 클 것이다.

수업 전에 간단한 예습을 통해서 아는 것과 모르는 것을 구분하여 생각해볼 필요가 있다. 나라면 이렇게 수업할 것 같은데 선생님은 어떤 방식으로 설명을 하실는지 추측하며 예측해보며 수업에 참여하는 것도 재미있다. 매일 일정한 시간에 일정한 수업 시간이 이루어지는데 그 수업을 간과하게 되면 그것은 오롯이 자신의 손해로 돌아온다. 그러니 마음속에 질문이 있고 수업에 참여하게 되면 학습에 능동적으로 참여하여 학습에 효율성을 가져오게 된다.

보통 방학 중에 학생들은 각 교과목 예습을 진행하게 될 것이다. 이렇게 되면 학기 중에는 오히려 복습하는 의미로 수업에 참여하게 된다. 하루 전의 예습이든 그것이 한 달 전의 예습이든 사전에 이 주제에 대해 한 번 정도 스스로 관심을 두고 생각을 해보았는지 아닌지가 중요하다. 자기 생각으로 먼저 생각을 해본 후에 수업을 듣는 것과 아무런 준비 없이 수업에 참여하는 것은 시간이 흐르면 큰 격차가 벌어진다. 학습 습관은 하루아침에 이루어지는 것이 아니라 매일 조금씩 의식적인 반복적 훈련을 통해 이루어진다.

마지막으로 수업 중엔 선생님과 눈빛을 맞춰가며 간단한 몸의 움직임을 갖고 참여하여야 한다. '제가 지금 선생님 수업에 잘 참여하고 있습니다'라는 신호를 주는 것이다. 그러면 선생님도 그 학생에 대해서 관심을 두게 되고 수업에 적극적으로 참여하는 태도를 좋게 보게 된다. 모르는 것은 질문을 통해 정확하게 알아가도록 하면 학습의 진보와 흥미가 생기게 마련이다. 중학교에서부터는 학교생활기록부의 세부능력,

특기 사항을 적는 난이 있는데 각 교과목 선생님께서 학생들의 수업 참여와 수업 성취도, 수업 태도에 관하여 적는다. 이때 수업 태도가 좋은 학생들은 아무래도 잘 써 주기 마련이다. 이것을 바라고 하는 것은 아니지만 수업 시간에 집중한다는 것은 여러 가지를 말해주는 요소가 되므로 수업 중에 잘 참여하도록 부모가 신경 써주어야 한다.

3. 만점 대비와 공부하는 방법을 확인해보는 내신대비 특강

시험에 관한 공부는 우선순위에 따라 공부 계획을 세우는 것이 좋다. 무조건 문제집부터 시작하는 것은 좋은 방법이 아니다. 학습 순서는 교과서 공부가 먼저 되어야 하고 노트를 공부한다. 그리고 각종 프린트물을 확인한 후에 참고서를 활용하여 더 자세히 공부를 완성한 다음 문제집을 통하여 예상 문제나 기출 문제를 풀어보도록 하는 방법이 좋다. 이때 다시 핵심노트 정리나 오답 노트 정리를 한다.

내신 수학 공부법

수학은 교과서를 중심으로 개념을 정확하게 이해해야 한다. 많은 양의 문제집을 푸는 것도 중요하고 문제를 풀면서 수학의 개념을 이해하면 된다고 할 수도 있다. 그러나 수학에 있어서 개념과 공식은 알 때까지 정확하게 이해가 된 상태에서 문제를 풀어보는 것이 매우 중요하다. 그러니 평소에 미루지 말고 그날 배운 개념과 공식은 그날 혹은 바로 다음 날

복습하는 습관을 갖는 것이 중요하다. 앞선 공식과 개념을 놓치게 되면 타 과목과 달리 풀 수가 없기 때문이다. 수학 내신을 준비할 때에는 교과서와 학교에서 나눠 준 프린트물을 기본으로 풀고 난이도에 따라, 각자 준비한 문제집 풀이로 실력을 다지면 된다. 수학도 반복적으로 틀리는 유형을 파악하여 실수하는 문제 유형을 반드시 다시 점검해보는 습관도 갖추어야 시험에서 실수를 줄일 수 있다.

내신 영어 공부법

영어는 성적향상을 위한 자기주도 인증 시스템으로 만들어 활용하면 좋다. 해당 범위에 있는 단어를 먼저 암기하여 빈 종이에 스스로 테스트를 본다. 교과서 본문에 있는 주요 문법을 예문과 함께 이해한 후 암기하고 스스로 테스트를 한다. 이를 토대로 교과서의 본문의 전체적인 흐름을 파악한 후 문장을 해석 공식에 따라 문장 구조를 분석하게 한다. 때에 따라서는 누적 복습, 누적해서 암기해야 한다. 하루에 할 수 있는 학습량을 정해서 하는 것이 중요하다. 한꺼번에 많은 양을 하게 하면 쉽게 질려버릴 수 있기 때문이다. 본문의 영어를 빈 노트에 작성하게 한 후 스스로 해석을 해보게 한다. 익숙해지면 반대로 한글 해석을 빈 노트에 작성하게 한 후 영작을 하게 한다. 그런 후 자신의 해석을 채점하면서 무엇이 잘 안 되는지 확인하며 자신의 부족한 부분을 채워나갈 수 있어야 한다. 마지막으로는 교과서나 관련 문제집의 문제들을 풀면서 자신의 실력을 가늠해 본다. 이때 잘하는 부분도 중요하지만, 완전히 숙지 되지 않고 헷갈리는 부분이나 문법에 좀 더 비중을 두고 공부를 하면 된다. 마지막으로 기출문제를 구해서 실제 시험을 보는 것처럼 정해진 시간 안에 풀 수 있도록 연습을 하면 시험 당일의 부담감과 긴장감을 더는 데 도움이 된다. 영어만큼은 시간을 들여 공부하면 충분히 기본 점수는 나오게 되어있다. 성실하게 할 수 있도록 평소에 습관형성이 필요한 과목이다.

내신 국어 사회, 과학 공부법

학교 시험에 성적 올리는 방법은 수업 시간에 집중하는 것은 물론이고 교과서를 위주로 공부하고 시험을 본다. 성취기준 혹은 학습 목표를 활용하여 자신이 이해하고 있는지를 자가 테스트하면서 공부하면 훨씬 효율적이다.

시험 당일에는 최상의 몸 상태 유지하는 것이 중요하다. 전날 무리하게 밤을 새워 공부를 하다 보면 평소에 기억하던 것도 잊어버리게 되므로 전날은 무리 없이 숙면을 할 수 있어야 한다. 숙면만 취해도 시험 당일의 실수를 줄이고 평소에 공부했던 것들이 잘 기억난다. 1교시 시험을 잘 보았든 그렇지 않든 쉬는 시간에는 차분히 앉아서 다음 시간 준비를 하는 것이 필요하다. 1교시에 시험을 잘 보았다고 생각하면 사람인지라 경솔하게 되어 다음 시험에 자만하는 마음이 생겨서 집중이 흐려지고 반대로 오답이 많으면 마음이 불안해지고 신경이 쓰이다 보면 지금 집중해야 하는 시험에 방해가 생긴다. 지금 현재 하는 일에 집중하는 습관을 지녀야 한다.

시험을 다 보고 난 후에는 반드시 앞서 언급했던 대로 시험 결과에 대한 철저한 피드백을 거치도록 한다. 정답과 오답에 대한 정확한 분석, 시험 대비하면서 잘한 점과 미흡했던 점들, 다음번 시험 때는 어떤 전략을 세우면 좋을지를 작성해 놓는 습관을 길러놓는다면 시험에 대비하는 학생의 태도가 점점 달라지고 실력이 나아지는 모습을

4. 몰입의 경험만큼 실력을 키울 수 있는 절호의 기회, 방학특강

방학은 몰입의 경험을 할 수 있고 실력을 키울 수 있는 절호의 기회다. 학기 중에는 학교와 학원을 오가느라 시간이 부족하지만, 방학은 잘 활용하면 자신이 원하는 바를 이룰 좋은 기회가 되기도 한다. 중학교 3학년 학생이 겨울방학을 잘 이용하여 수학 심화를 공부하게 되었던 사례나 고1 학생이 수학 5등급에서 겨울방학을 잘 활용하여 하루에 8시간 이상 수학 공부에 할애했더니 1등급으로 변화된 사례를 주변에서 흔히 접할 수 있다. 부족한 과목을 집중적으로 공략함으로써 실력을 키울 수 있는 것 또한 방학에 할 기회이기도 하다. 새 학기에 배울 교과목을 여유 있게 준비해볼 수 있는 시간도 방학에 가능하다. 한 가지의 주제를 정해서 탐구하여 포트폴리오로 만들어 볼 수 있는 것도 방학에 할 수 있는 일이다. 무엇보다 방학에 몰입의 경험을 해 볼 기회를 방학 때마다 갖게 하는 것도 학습에 좋은 영향을 미친다. 자투리의 시간을 활용한 3시가 4시간도 중요하지만, 그것보다 더 중요한 것은 3~4시간을 한 가지일 적에 몰입하게 하는 경험은 성취

감이나 성과 창출의 좋은 토대가 된다. 몰입의 경험은 어른들도 성과향상에 좋은 영향을 미치는 것은 당연한 이치이다.

5. 자기주도학습 코칭과 지속해 갈 동기부여를 위한 독서 특강

모든 학생은 우리 학원에 입학하게 되면 제일 먼저 자기주도학습 코칭 프로그램을 진행해준다. 공부의 목표를 세우게한 후 학기별, 월별, 주간, 일일 계획을 세울 수 있도록 돕고 있다. 하루의 계획을 세우게 하고 소요될 예상 시간도 적어보고 실제 걸린 시간도 채팅해가면서 자신의 학습 속도도 측정해본다. 그날 하루를 지내면서의 셀프피드백을 해보면서 자신의 하루를 성찰하게 할 뿐 아니라 피드백을 통해 부족한 부분은 그다음 날 보완해갈 수 있도록 한다. 계획을 세워 실천하게 하고 피드백하는 훈련이 하루하루 쌓이다 보면 아이들은 어느새 자기주도학습 능력이 향상돼있게 되는 자신을 발견하곤 한다.

상위권 학생들은 교과 공부뿐 아니라 틈틈이 독서도 하는 경우를 볼 수 있다. 공부를 지속해가기 위해 동기부여가 될 만한 독서를 하기도 한다. 이는 성인들도 마찬가지이다. 본인이 하는 일을 지속해가기 위해 동기부여도 필요하고 마인드 컨트롤도 필요하기 때문이다. 그래서 마인드와 동기부여가 될 만한 도서들을 선정하여 읽게 한다. 그리고 새 학기 시작 전 학기 중 진행되는 교과목과 관련이 있거나 심화한 수업에 도움이 될 만한 주제를 선정하여 관련 탐구 독서특강을 진행해 본다. 또한, 자신의 진로 탐색이나 진로 활동을 매개로 하는 독서특강도 좋다.

6. 테마별 미니특강_비전, 시간 관리, 기록관리, 교과 공부, 독서법 등

이 외에도 청소년 주제특강으로 비전, 시간 관리, 기록관리, 교과 공부, 독서법 등등 미니특강으로 소소하게 진행하는 때도 있다. 학기 초나 신입생들이 주로 많은 학기 초나 학교 시험 당일 전후로 특정 수업요일이 맞지 않을 때도 진도 수업을 나가기 모호한 시기에 동기부여로 주제특강을 진행한다. 필요하다 여기던 학생들도 이러한 부분에서 도움을 받곤 한다. 효율적인 시간 활용방법을 통해 학교 수업 시간 외의 등교 전, 하교 후의 시간 활용법에 대한 팁을 받을 수 있다.

7장

비교과 시스템

7장. 비교과 시스템

비교과 관리를 통한 우리 학원의 차별화 전략을 기획한다. 학생과 학부모 대상 설명회와 간담회 활용 자료를 만든다.

1. 비교과 관리와 학교생활기록부 관리의 중요성 어필 포인트

비교과 관리는 해당 학원에서 관리를 별도로 해줄 수도 있고 이와는 별개로 운영할 수 있다. 이는 원장님의 학원 운영 방향에 맞추어 진행하면 좋다. 교과에만 집중하려면 교과 공부와 공부법에 더 신경 쓰면 되고 비교과 영역까지 챙겨줄 거면 이 부분에 좀 더 심혈을 기울여야 할 것이다. 학기 초에 학교생활기록부 관리의 중요성을 어필해준다. 2월 중에 전체로 특강을 해주던지, 특정 학년과 특정 학생들 대상으로 일대일 미팅이나 소그룹으로 진행해줄 수 있다. 각 항목이 어떻게 구성되어 있는지 안내해주어 이 부분에 이런 부분은 학교 측에 어필하여 작성할 수 있는 유용한 팁들을 제공해주면 개학 후 학교에서 생활기록부 관리를 좀 더 수월하게 생각하며 학교생활에 더욱 적극적으로 임하게 되는 효과가 있으니 신경 써주도록 하자.

학교생활기록부의 양식을 간단하게 살펴보면 다음과 같다. 첫 번째는 학생과 간단한 가족 상황을 작성하게 되는 인적사항이 있다. 두 번째는 학적사항으로 초등학교 졸업, 중학교 졸업한 것을 작성하는 곳이다. 세 번째는 출결 상황으로 수업

일수에 결석일수, 지각, 조퇴 등을 적을 수 있는 곳으로 무단으로 결석하여 불이익이 없도록 하여야 한다.

네 번째는 수상경력으로 교내에서 받은 상을 작성한다. 다섯 번째는 진로희망상황을 학년별로 학생과 학부모가 각각 작성하게 되어있으며 진로 희망사유까지 작성하게 되어있으니 진로를 희망하는 이유까지 생각해보면 좋다. 진로가 바뀐다고 하더라도 그에 타당한 사유가 작성되어 있으면 크게 문제가 되지는 않는다. 여섯 번째는 창의적 체험 활동 상황으로 자율활동, 동아리 활동, 봉사활동을 한 시간과 특기 사항들을 적게 되어있으니 미리미리 동아리 활동과 봉사활동들을 어떤 것을 주로 할 것인지를 사전에 고민해보고 알아두는 게 필요하겠다.

일곱 번째는 교과발달사항이다. 각 교과목의 성취도와 원점수/과목 평균들을 작성할 수 있으며 세부능력 및 특기 사항에는 각 교과 담당 선생님들이 학생을 관찰하고 수업에 참여하면서 느낀 점이나 학습 태도들을 작성할 수 있는 곳이기 때문에 수업에 적극적으로 참여하는 것이 필요하다. 여덟 번째, 독서 활동상황을 학년별로 책을 읽은 도서목록들을 작성할 수 있는 곳이다. 평소에 독서를 하도록 하되 책을 다 읽은 후 간단하게나마 책의 총평들을 기록해 놓는 것이 필요하다. 각 교과목을 좀 더 보충하거나 심화에 필요한 도서이든지, 자신의 진로와 관련된 도서들을 좀 더 깊이 있게 준비하는 과정에서의 필요한 독서이든지 모두 기록으로 남겨놓을 필요가 있다.

마지막으로 행동특성 및 종합의견으로 담임 선생님께서 한 학기 동안 학생을 관찰하며 지켜본 사항들을 토대로 작성해주는 의견 공간이다. 평소에 학교 수업에 충실히 임하고 담당 선생님과 좋은 관계로 좋은 평가가 기록되었으면 하는 공간이다.

2. 우리 학원 비교과 3년/5년 대비 로드맵 만들기

우리 학원만의 비교과 시스템을 3년 혹은 5년 대비하도록 로드맵을 만들어준다. 매월 정기적으로 비교과 대비를 진행하는 방법이 있다. 혹은 매월 2월에 새 학기에 필요한 비교과 로드맵을 세워줄 수 있다.

3. 진로/비전 탐색 및 동아리 활동 기획 선정 관리 노하우

학생부종합전형에 가장 유리한 학생은 진로를 일찍 선정한 학생이다. 아직 진로를 정하지 못한 학생들도 괜찮다. 진로상담 사이트나 진로상담교사의 도움을 받을 수 있기 때문이다. 대신 진로 희망사유는 학년에 올라갈수록 구체적이어야한다. 1학년은 폭넓게 정하고, 2학년은 전공에 염두를 두고, 3학년은 진학학과를 고려해라. 진로 활동은 학교가 아닌 '내'가 보여야 한다. 교외 진로 활동을 활용하라. 진학할 대학의 입학처를 최대한 활용해라. 교외 활동은 무조건 보고서나 발표를 활용하라.

진로를 정했다 하더라도 진로확신이 적은 학생들을 대상

으로 좀 더 체계적인 진로 탐색을 하는 과정을 기획하고 진행한다. 아직 진로를 정하지 못한 학생들도 괜찮다. 진로 탐색 과정과 학교생활기록부 독서 활동상황 관리 두 가지 목적을 가지고 활용한다.

중학교 1학년 시기는 진로탐색기이다. 진로를 정했다 하더라도 진로확신이 작은 아이들을 대상으로 좀 더 체계적인 진로 탐색하는 과정으로 기획하여 진행한다. 진로선정이 된 학생들에게는 진로 관련 핵심 필독서를 선정해 추천해준다. 진로 확신도를 높임과 동시에 학교생활기록부 독서 활동상황 관리 두 가지 목적을 가지고 활용한다.

동아리 활동을 선정할 때에는 본인의 진로 전공과 연관된 동아리가 유리하다. 흥미가 최우선이다. 재미가 없으면 이야기가 없을 수 있기 때문이다. 1~3학년을 관통하는 지속적이며 일관된 활동이 중요하다. 다른 활동으로 확장해가도록 한다. 만약 마땅한 동아리가 없다면 자율동아리를 만드는 것도 한 방법이 될 수 있다. 최대한 진로연관 전공 연관 자율동아리를 만드는 것이 좋다. 중요한 것은 활동으로 인한 변화와 확장이다. 작은 활동을 통해 변화와 리더십을 보여주는 것이다. 진로, 전공과 무관한 동아리라면 연계점을 찾도록 한다. 나의 역할과 성장이 중요하기 때문에 적극적으로 임하는 것이 필요하며 모든 것을 기록해 놓아야 한다.

이처럼 동아리 활동을 통해 진로 및 전공역량을 드러내는 중요요소이므로 심사숙고해서 선정해야 한다. 상설동아리에서 진로 전공 적합성을 드러내기 어려우면 자율동아리를 잘 활용해야 한다. 학기 초에 개설해야만 인정받을 수 있으므로 학기 시작 전 어떤 자율동아리 활동을 할 것인지 미리 계획한다. 동아리 활동을 통해 리더십과 소통능력, 협동심을 보여주므로 반드시 적극적으로 활동에 참여한다. 중학생은 학년당 2개, 고교생은 3개 정도가 적절하다. 예를 들면 창의적 체험활동동아리 1개, 진로 관련 자율동아리 1개, 공부 관련한 자율동아리 1개 총 3개의 동아리가 이상적이다.

4. 학생부 점검 및 다음 학기 학생부 기획 상담 노하우

학교생활기록부에 기재할 내용을 점검해보도록 한다. 봉사활동 시간이나 실적이 잘 기재되었는가? 독서 활동 사항에 도서명이 모두 제대로 기재되었는가? 독서목록 중 담임 선생님이 올려줄 항목과 교과 담당 선생님이 올려줄 도서가 제대로 기재되었는가? 교과 세부능력 및 특기 사항에 나의 학업 우수성이 구체적으로 유의미한 단어로 기술되어 기재되었는가? 혹시 상급학교 제출 시 부정적으로 평가받을 수 있는 내용이 포함되어 있는지 세세하게 확인을 하였는가? 창의적 체험 활동 중 동아리 활동과 진로 활동 사항에 기재할 내용이 빠지지 않고 기재 되었는가? 담임 선생님과 충분히 소통을 통해 행동특성 및 종합의견란에 인성 영역을 비롯한 긍정적인 평가가 기재되었는가? 를 점검해 볼 수 있어야 한다. 이를 토대로 전반적인 학생부 자기 평가가 이루어지도록 하고 향후 개선할 사항들이 있다면 점검해두었다가 추가하면 된다.

5. 전략적 독서를 활용한 학생부 경쟁력 만들기

학생과 학부모 대상 강력한 과정 컨설팅 자료 만들기. 전략적 독서를 활용한 학생부 6개 항목 지배 비결 전공 적합성 및 계열 적합성 인증 포인트 활용

학생부종합전형 시대 또 하나의 핵심 키워드는 독서이다. 서울대가 주목하는 활동은 독서다. 어려워진 수능 국어, 구술, 면접을 독서로 준비해라. 중학교 1학년 때의 독서는 다다익선이다. 융합의 시대에 많이 읽고 다양한 분야의 책을 읽는 것도 좋다. 다양한 경험으로 시야를 넓혀가도록 한다. 2학년 때의 독서 핵심은 전공과 관련이 있다. 1학년이 배경 지식을 확장하는 시기라면 2학년은 전공지식을 확대하는 시기여야 한다. 교과에 대한 이해가 독서의 기본이다. 교과서를 충분히 활용함으로써 전공에 대한 호기심을 불러일으키고 궁금증을 해결시켜주는 책을 선정하는 것이다. 이 외에는 자신의 진로와 관련된 독서도 이에 해당한다. 자신의 전공과 연관 있는 교과의 목차는 책을 선정하는 중요한 실마리를 제공한다. 3학년 때도 최소한의 독서 활동은 유지하는 것이 좋으며 5권 정도가 적당하다. 이러한 독서를 다른 교내활동으로 확장해야 한다. 독서 활동을 다른 학생부 항목에도 기록해두는 것이 좋다.

독서는 지적 호기심의 출발 측면과 지식의 확장 측면에서 독서의 역할을 대학에서 우수학생 평가요소로 활용한다. 서울대 합격생 평균 독서 권수는 최소 35권 이상이다. 서울대학교 자기소개서 4번 항목이 독서 3권 선정을 하는 것이다. 이

외에도 난도가 높아진 수능 국어 고득점 비결은 평소에 꾸준히 읽어온 독서가 정답일 수 있다. 학생부종합전형에서 구술, 면접 또한 배경 지식 콘텐츠 및 발표능력 향상의 핵심이 독서 활동이 된다.

8장

완벽한 재원생 유지의 핵심,
학생과 학부모 관리

8장. 완벽한 재원생 유지의 핵심, 학생과 학부모 관리

학생들의 자기주도학습 습관과 성적향상 비법, 좋은 학습 습관을 형성할 수 있도록 하는 노하우 그리고 성적 향상할 수 있도록 하는 비법을 제공한다.

학부모와의 소통을 통해 학생들의 성장하는 모습들을 함께 공유하고 유대인들처럼 함께 성장해가는 학부모님들이 될 수 있도록 교육의 4요 일체로 참여하여 교육에 책임을 갖게 한다.

1. 휴 퇴원 관리 시스템

수업을 하다 보면 여러 가지 이유로 원하는 결과가 나오지 않는 학생들이 있다. 특히 내신이 중심인 학년에서는 학기 중 내신대비 과정에서 투명한 보고가 이루어져야 한다. 성적과 관계없이 학원의 모든 노력을 200% 전달하는 것이 중요하다. 이 작업은 수업을 잘하는 그것만큼 중요하다.

아래 그림은 휴퇴원 예방을 위한 9매트릭스이다. A4용지에 가로 3칸 세로 3칸 총 9칸을 만든다. 오른쪽 X측은 학부모 만족도 맨 오른쪽부터 상, 중, 하로 구분을 하고 왼쪽 Y측은 학생의 만족도를 위에서부터 상, 중, 하로 표시한다. 학부모도 만족하고 학생도 만족하는 곳에 교차하는 학생들의 이름을 적어본다. 이들은 크게 걱정하지 않아도 되는 경우에 속한다.

반면에 학부모 만족도 적고 학생의 만족도도 적은 경우는 곧 퇴원하게 될 확률이 높으니 이에 대한 전화상담이나 학생들 상담을 하는 조치가 필요한 부분이다. 간혹 학부모 만족도는 높으나 학생들의 만족도가 낮은 경우, 학생의 만족도는 높으나 학부모의 만족도가 낮은 경우도 관리해야 한다. 보통의 경우 학부모의 만족도가 낮은 경우는 학원의 커리큘럼과 로드맵을 제사하여 학원교육에 대한 확신을 심어주고 자주 소통하여 학생을 관찰한 후기나 실력향상을 위해 가시적인 것들을 자주 상담하면 효과가 있다. 학생의 만족도가 낮은 경우는 동기부여를 통해 학습의욕을 높이고 작은 미션들을 제공해주면서 학습의 작은 성취감들을 갖도록 해주어야 할 필요가 있다.

이처럼 모든 학생들을 잘 관리해야 할 필요가 있지만, 좀 더 세분화해서 관리를 하다보면 휴퇴원의 비율을 줄여가는데 확실히 도움이 된다. 이렇게 직접 표로 나누어 학생들의 이름을 넣다보면 강사가 미처 몰랐던 부분들까지도 알게 되므로 학원에서 교사회의때 꼭 한번 해보시길 추천드리고싶다.

<그림1> 휴 퇴원 예방을 위한 9 매트릭스

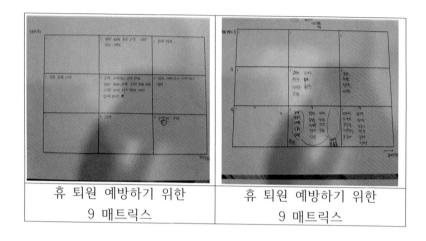

| 휴 퇴원 예방하기 위한 9 매트릭스 | 휴 퇴원 예방하기 위한 9 매트릭스 |

2. 2번, 3번 걸어 잠그는 상담 시스템

수업을 하다 보면 여러 가지 이유로 원하는 결과가 나오지 않는 학생들이 있다. 특히 내신이 중심인 학년에서는 학기 중 내신대비 과정에서 투명한 보고가 이루어져야 한다. 성적과 관계없이 학원의 모든 노력을 200% 전달하는 것이 중요하다. 이 작업은 수업을 잘하는 그것만큼 중요하다. 이를 해결하기 위해서는 다음의 2가지 방법이 있다. 첫째는 사실에 근거한 과거형 상담을 하는 것이다. 상담은 결과 보고에 관한 내용이 70% 이상으로 구성한다. 내신대비 중 발견한 문제점 (취약점)은 무엇이며, 어떤 방법을 사용하면 해결할 수 있으며 지난 며칠 동안 적용한 결과 현재 어떻게 변해나가고 있는지를 상담한다. 두 번째는 학부모님의 궁금증이 시작되기 전에 선제로 상담하는 것이다. 학습 계획과 내신대비 계획을 말씀드린다. 가정통신문을 밴드나 카톡을 활용하여 발송한다. 필요한 경우 전화상담 또는 방문 상담을 진행한다. 이렇게 3차례만 선제로 공략하면 믿음의 씨앗이 뿌려진다.

3. 우리 학원만의 강력한 무기, 학원 생활 관리 시스템 구축하기

학원 생활에 대한 모든 자료는 기록으로 남겨야 한다. 진단평가부터 모든 교과목, 비교과 영역까지 모든 학원의 생활들을 기록으로 남기도록 한다. 첫 회 입회 시에 작성하는 희망진로, 희망고등학교/계열, 희망대학교/학과, 현재 진도 등 데이터가 있어야 한다.

3월
새 학기를 맞아 점검해야 할 것들도 체크를 해준다. 겨울학기에 진행된 특강 진도에 관한 결과를 확인하도록 한다. 학기 중에 진행될 영어, 수학 연간 진도나 학습 목표를 설정한다.

4월
중간고사 내신대비 기간은 적당한가?
학생과 학부모가 바라는 성적은 몇 점인가?
내신대비 기간에 보충 가능한 시간은 언제인가?

5월

중간고사 성적은 지난 성적에 비해서 어떠한가?

성적에 대한 학생, 학부모님 만족도는 어떠한가?

성적이 잘 나오지 않았으면 이유는 무엇인가?

중간고사 취약 부분을 만회하기 위한 기말고사 전략은?

6월

기말고사 내신대비 기간은 적당한가?

학생과 학부모가 바라는 성적은 몇 점인가?

토요 주말 보충 가능한가?

내신대비 기간에 보충 가능한 시간은 언제인가?

비교과 영역

생활기록부의 5번 항목부터 8번 항목까지 살펴본다.

5. 진로희망 사항

　진로 희망사유를 작성한다.

6. 창의적 체험 활동

　자율활동/동아리 활동/진로 활동

　리더십에 대한 구체적인 과정이 표현되었는가?

7. 교과학습 발달 상황

　교과학습 발달 상황이 구체적으로 작성이 되었는가?

8. 독서 활동

　독서 활동에 다양한 영역의 독서 활동이 기록됐는가?

<그림2> 학원생활기록부(수학/영어/비교과)

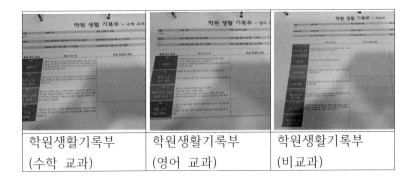

| 학원생활기록부
(수학 교과) | 학원생활기록부
(영어 교과) | 학원생활기록부
(비교과) |

4. 모든 것을 기록으로 남겨라! 완벽한 학생 관리를 통한 학부모 관리

학원에서 들이는 노력을 기록으로 남기도록 한다. 학원 생활에 대한 모든 자료는 기록으로 남겨야 한다. 진단평가부터 모든 교과목, 비교과 영역까지 모든 학원의 생활들을 기록으로 남기도록 한다. 그리고 학생수업에 필요한 영역, 출결 상황, 교재명, 수업 진도, 과제이행 여부, 특이사항 등 매 수업 전후로 그날그날 기록을 해놓아야 학생들의 학습관리가 된다. 이 부분은 주도면밀하게 검사해놓아야 한다.

<그림3> 학생수업 관리와 학습 플래너

| | |
| | |

| 학생수업 관리 | 학습 플래너 |

5. 성적과 재등록률을 높이는 차별화된 학습관리 시스템 구축하기

강사들은 강의를 열심히 하고 아이들의 숙제 검사도 열심히 한다. 아이들이 틀린 문제를 다시 설명해주기도 하고 중요 문제들은 복습을 시키기도 한다. 하지만 성적을 올리는 데는 한계가 있다. 아이들은 숙제는 하지만 공부는 하지 않고 선생님은 아이들이 배운 내용을 아는지 모르는지를 모른다. 공부의 본질은 학생 스스로, 혼자서 공부함으로써 성적이 나오고 진짜 공부를 하도록 도와야 한다. 누적 복습은 학습의 완성도를 높이고 체화되도록 해준다.

과제 검사

강의를 통한 학습의 완성은 과제의 완성이다. 결국, 공부는 학생 스스로 하는 것이기 때문이다. 꼼꼼한 과제 검사는 많은 시간을 요구한다. 꼼꼼한 과제 검사는 제약이 많다. 일반적인 과제 검사를 하는 방법은 대부분 정량평가이다. 과제 완성도를 A, B, C, D로 표기하거나 상, 중, 하로 표기한다.

그렇다면 이상적인 과제 검사는 어떤 것일까? 정량평가와 정성평가를 함께 하면 좋을 것 같긴 하다. 과제 완성도, 풀이 과정, 글씨, 내용 이해, 숙제 오답 관리 등 말이다. 그러나 현실에선 이런 것들을 일일이 검사하기에는 매우 어렵다.

이를 해결하려는 방법으로는 전략적으로 과제 검사를 할 방법을 다음과 같이 2가지를 제시해본다. 하나는 학원의 과제 관리력을 문화로 만드는 것이다. 또 하나는 원장이 직접 과제를 검사해주는 방법이다. 정량평가는 강사가 매일 진행하되 원장이 직접 검사하는 과제 정밀평가는 매월 1~2회 정도 해주는 것이다.

오답 관리

오답 노트, 잘 활용하는 방법은 모든 원장님이 관심 있어 하는 부분이다. 오답 노트의 본질은 시험을 대비하여 나만의 문제집을 만들어 복습의 용이성을 확보하는 것이다. 오답 노트, 오직 보여주기식 숙제만을 위한 고된 작업이 되어버렸다. 오답 노트의 구조적 한계가 있다. 학습하는 순서대로 기록되어 있다. 필요한 문제를 찾기 어렵다. 대부분은 풀이 과정을 적는다. 풀이 과정은 필요 없다. 문제를 옮겨 적는다. 최초의 오답 발생 상태와 다르다. 귀찮다. 문제와 답이 함께 있다. 눈은 손보다 빠르다.

이러한 구조적인 한계를 해결하기 위해 오답 카드를 권장하고 싶다. 무엇보다 이 오답 카드로 오답 노트의 본질을 되찾았다. 복습의 용이성이다. 카드 형태로 구성되어 있어 단원별로 편집이 가능하다. 오답 발생 최초의 상태를 유지할 수 있다. 카드 형태의 낱장이라 인쇄할 수 있고, 오답 노트 작성의 불만 요소를 제거하게 된다. 문제와 답이 따로따로 있었다. 앞 페이지에는 문제, 뒤 페이지에는 문항 정보, 풀이 전략, 정답을 기록하는 것이다. 간편하게 만드는 오답 시험지로 복사기 위에 오답 카드만 얹어 복사해서 사용하면 된다.

이 오답 카드는 평상시에는 학원에 보관하여 둔다. 내신기간에 활용하거나 오답 시험지를 제작하여 다시 풀 수 있게 한다. 내신기간에 학생이 가지고 다닐 수 있도록 하면서 학원의 오답 카드가 학원홍보 효과도 발생시키는 효과도 있다. 이처럼 학생들이 과제 등 문제를 푸는 과정에서 발생한 오답을 유형별로 학생 스스로 기록하고 정리할 수 있도록 도와주면 좋다.

9장

학원의 성장을 극대화하는
강사 시스템 구축하기

9장. 학원의 성장을 극대화하는 강사 시스템 구축하기

학원장의 최대이슈이자 고민거리가 되는 학원의 좋은 강사를 채용하는 방법부터 강사 개인의 성장과 업무의 성과를 최대한 끌어올려 줄 수 있는 강사역량 강화 과정까지 안내한다.

1. 학원 규모에 따른 조직구성 및 업무 분담

학원 운영을 할 때 강사 시스템을 구축하는 것은 급선무이다. 원장님들 입문교육을 본사에 가맹되어 있을 때 많은 원장님이 가장 궁금해하시는 분야기도 하다. 왜냐하면, 혼자서는 잘하는데 누군가를 데리고 학원을 운영한다는 것은 쉬운 일이 아니기 때문이다.

학원 규모에 따른 조직구성과 업무 분담이 이루어져야 한다. 1단계는 소형규모(30명) 2단계는 중소형 규모(30~100명) 3단계는 중형 규모(100~200명), 4단계는 대형규모(200~300명)로 4단계 정도는 학원을 경영한다고 할 수 있을 만큼 규모가 있는 단계이다. 보통은 1단계부터 3단계로 가고 100명이 넘어가면 다시 200명으로 가게 되면 그다음 다시 1단계로 다시 시작하는 마음으로 사이클이 돌아간다.

<u>첫 번째는 소형규모(30명)</u>이다. 소형규모에서는 원장이 모든 일을 다 하겠으나 원장이 하는 역할과 원장이 하는 역할

중에 행정업무가 포함될 수 있다. 그것에 강사 한 명이라도 채용하게 되면 원장의 업무과 강사가 하는 업무를 나누어 볼 수 있겠다. (이렇게 각각의 업무들을 나누어 작성해보기라도 하면 원장의 업무가 훨씬 쉬워지면서 스트레스도 덜 받게 된다. 일이 구분되어 있지 않아 복잡한 심경 때문에 스트레스를 받아 하는 분들이 많기 때문이기도 하다) 이때 원장이 하는 역할을 빼곡히 작성해보면서 원장이 해야 할 역할을 작성해 보는 것이 좋다. 예를 들면 학원 전체 커리큘럼을 구성, 교재 선정하는 일, 학습계획서 작성하는 것, 수업 일정표를 짜거나 매뉴얼을 만드는 일 등이다. 강사가 해야 하는 업무는 해당 수업 자료 제작하는 일, 시험지 제작, 내신 자료 수집 및 각종 프린트 관련 자료 제작, 내신 기출 문제 예상문제 제작, 평가서 제작 등이 이에 속한다.

두 번째는 중소형 규모(30~100명)이다. 이 규모의 학원에서의 업무 분담은 앞서 얘기한 소형규모에 행정 부분이 더 추가되면 된다. 원장 업무와 강사업무는 위와 같다. 이에 행정직원이 있으면 훨씬 쉽다. 예를 들면 전화 응대를 하거나 학원 관리 프로그램 전담하는 일, 학생들 출결, 지각 관리 및 문자 보내주기, 수강료 고지서 발급 및 수납 관련 일들이 이에 포함한다.

세 번째는 중형규모(100~200명)이다. 중소형 규모로 가면서 관리를 더욱 탄탄하게 하거나 혹은 행정 분야 중에 상담실장과 행정직원 두 분야로 나누어 일을 맡기는 방법도 좋다. 원장과 강사가 해야 하는 일 외에 행정적인 지원이 잘되어야 효과적으로 학원 운영이 되기 때문에 사람들과 소통하며 학부모와 학생들을 응대해 줄 실장과 각종 문서작업과 컴퓨터 관련 행정 분야를 도맡아 해줄 직원이나 분야 직원을 함께 두면 일에 차질이 없도록 할 수 있다. 다시 말하지만, 행정업무 관련해서 사람을 주로 응대하는 일을 도맡아 하시는 분을 상담실장으로 문서작업이나 컴퓨터 관련 행정업무를 하는 사람을 행정직원 또는 행정조교로 구분해 볼 수 있겠다. (혹은 별도로 상담실장을 두기에는 재정적으로 부담이 될 수도 있으니 그러면 강사 중에서도 수업에만 국한하지 않고 차기 리더로 성장하고자 하는 강사에게 업무를 더 맡겨보면서 역량을 키우는 기회를 얻도록 하는 방법도 있다.)

2. 우리 학원에 맞는 강사 관리 시스템 만들기

신규강사 훈련 시스템을 3단계로 나누어 본다. 1단계는 지필 면접과 대면 면접, 2단계는 각종 매뉴얼 전달 및 숙지, 3단계는 우선 강사 구인을 하려고 하면 강사 구인을 어느 곳에서부터 구하는 것부터 어려워하는 경우도 많은데, 저의 경우는 사람인, 훈장 마을, 알바천국 주로 3곳 이상을 활용한다. 원하는 바를 작성해서 구인공고를 낸다. 아이디와 비번 작성해놓아 필요할 때마다 바로 활용하도록 한다.

내가 원하는 강사의 인재상을 작성하여 부합한 사람들이 지원할 수 있도록 하는 것이 서로의 필요를 채워줄 수 있다.

1단계는 지필 면접과 대면 면접을 본다. 대기실에서 간단하게 작성할 수 있는 몇 가지의 질문이 있고 볼 수 있도록 한다. 이때 강사들의 태도를 살펴보는 기회를 얻게 하는 기회로 삼기도 한다. 그다음은 원장실에서 대면 면접을 한다. 즉 흥적으로 볼 때 보다 필요한 질문들을 사전에 작성해놓을 것으로 면접을 하다 보면 이 강사가 일 처리를 잘하겠다. 학생들을 사랑하는 마음이 느껴지는 판단의 기준이 되기도 한다.

<그림4> 지필 면접

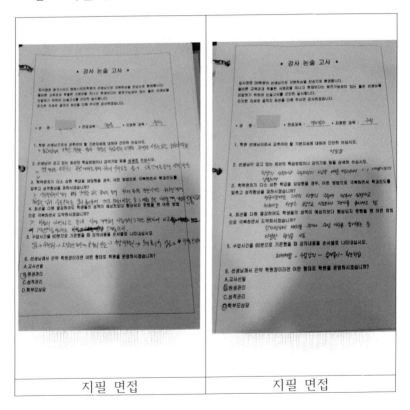

지필 면접	지필 면접

<그림5> 지필 면접&대면 면접

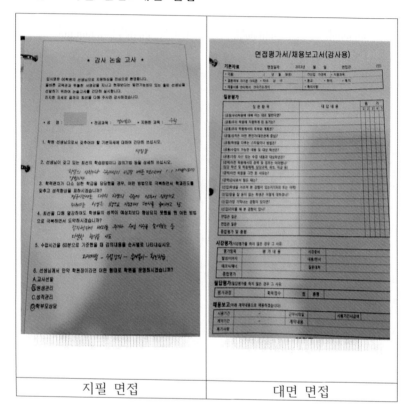

지필 면접	대면 면접

    2단계 각종 매뉴얼 전달 및 숙지하게 한다. 전화, 상담 매뉴얼, 수업(업무) 매뉴얼, 내신관리 매뉴얼 등이 이에 속한다. 전화상담 매뉴얼의 경우 신규문의 전화가 걸려올 때 전화로나마 간단하게 상담할 수 있도록 안내해 줄 수 있어야 한다. 우리 학원의 교육철학과 수업특징, 그리고 차별화되는 점, 수업 요일이나 수업 시간 등 간단하게나마 안내할 수 있을 정

도의 정보는 알고 있게 해주어야 한다. 전화 상담 시 유의사항은 전화로 모든 걸 상담하기보다는 학원으로 방문해서 대면 상담을 할 수 있도록 하는 데 있으니 이 점 유의하여 숙지시키는 것이 필요하다.

이 외에 수업(업무) 진행 방법 및 절차를 알려주는 방법이다. 직접 운영했던 학원에서는 강사들의 업무시간은 오후 2시에서 10시였다. 오후 2시에 출근하면 교실의 책상 위와 바닥을 간단하게 20분간 청소하게 한 후 수업 전에 필요한 모든 프린트물과 자료들을 학생들 서류 칸에 미리 출력하여 비치해 놓게 하였다. 본 수업 시간에는 강의수강 후 개념 정리하게 하는 것, 교재문제 풀이 후 채점하게 하는 것, 오답 풀이 등 수업 중에 진행해야 하는 부분들도 미리 안내해준다. 수업 진행하는 방법은 교육시스템, 커리큘럼 부분에서 다루게 될 것이다. 강사들이 출근해서 퇴근하는 시간까지 (정보제공) 어떤 걸 물어봐야 할지, 수업 끝나고 나서 과제나 오답은 어떻게 관리해 주어야 할지

또한, 우리 학원의 내신대비 방법 등을 안내해주어야 한다. 우리도 초창기에는 없었으나 강사들과 함께 만들었다. 영어학원 내신대비는 어떻게 했는지를 수업 잘하는 강사에게 물어본다. 그렇게 대화한 내용을 토대로 원장이 간단하게 메모해 놓는다. 수학 내신대비는 어떻게 하나요? 개념정리를 하게 한다. 1학년 중간고사 시험지 분석, 교과서, 기출문제, 학교프린트물 정리하게 한다. 주교재, 부교재명도 작성해놓는다. 그렇다면 오답 노트는 어떻게 하나요? 도 영어 내신대비는 크게 3단계로 나누어 진행한다. 1단계는 개념정리를 하게 한다. 그리고 2단계는 변별력 문제 대비를 위해 빈칸 넣기,

상위권 학생들은 전체문장을 통 암기시킨다. 3단계는 문제를 풀거나 기출문제 또는 예상문제를 풀게 한다. 오답 관리는 틀린 문제에 대한 오답은 이유와 함께 노트 또는 포스트잇에 작성하도록 한다. 이때 교과서 외에 기출 문제 오답이나 내신 콘서트 오답도 다 포함한다.

이렇게 초보 강사가 왔을 때 참고가 될 만한 자료가 되도록 해야겠다. 베테랑 강사라 하더라도 이 학원에서는 어떻게 해왔는지를 궁금해할 터이니 그때마다 매번 말로 되풀이하기보다는 한번 작성해놓으면 누구든 필요시에 참고할 수 있다. 이렇게 학원 운영이라는 것은 정답이 있기보다는 이렇게 작은 부분들까지 소소한 기준들을 잡아가는 것이 학원 원장이 해야 할 일이다.

<그림6> 영어, 수학 내신대비법

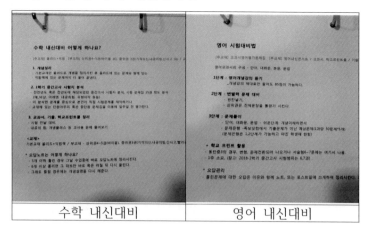

| 수학 내신대비 | 영어 내신대비 |

3단계는 강사역량 점검 및 역량 강화 프로그램이다. 이

러한 프로그램이 있으면 강사들이 정체되지 않고 신나고 열정을 갖고 일을 할 수 있을 것이다. 강사들의 자기 평가서, 업무능력평가를 먼저 하게 한다. 자기 평가서를 통해서 강사가 실제 자신이 할 수 있는 것과 할 수 없는 것을 구분해서 파악해볼 수 있다. 업무능력평가는 상담, 관리, 사무, 학습지도능력, 기본소양 등을 평가해 볼 지표가 될 수 있다.

<그림7> 자기 평가서와 업무능력평가

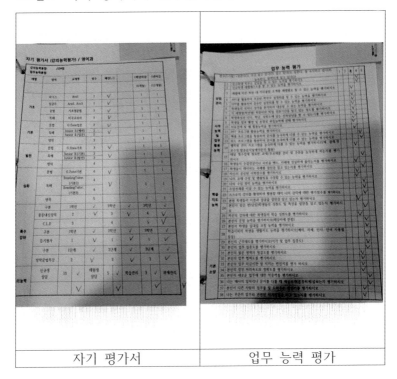

자기 평가서	업무 능력 평가

3. 1개월에 베테랑 강사를 만드는 신규강사 훈련 시스템

<그림8> 수업 진행 방법 및 절차, 강사 일정표

수업 진행 방법 및 절차 (기본 사항)				강사 타임 테이블 (신임 강사 교육용)			
순서	해야 할 일	세부 내용	확인	시간	해야 할 일	세부 내용	확인
학생 입장	태블릿과 스마트폰 셋팅	1.아이들이처럼학교라이자꿈꾸거나개개인의생각과정발휘하도록스마트폰을화면사진저장눔 사진등도직접연결하는것을통해활기있기묘운로합 그것도반드시강사가컴퓨터시설		:40 ~ :00	출근및교실정소	1.출근후교실청소 -청소가7토제거청소 -책상정리의가7기봉및아이들왕빠하는거매개 -의자위청생(인기정시작안오아감기)	
숙제 채우	1.숙제검사 2.단어시험 【28에 3.T2,T3 【부실시험지】	1.숙제검사및채점 -원래교사가자정됨 -이교,수업도량자자동될경우동틀이책반실에교사이책상으로채워들의재점하게할 수있음 -방학성과채점도학생스스로하는것이지우주되어울 그러나집중해야밀학생중불가지안동은채도의모기강기본인의통찰력으로진행		:00 ~ :00	1.수업준비 완료체크및 2.회의	1.수업준비절차 -태블릿과스마트폰자동셋팅,주위아교실정함체적리정 -그날학습할T기요및시험지자지및이면꺼번이스수업내용자이불을빼주어할것같그날 학습을기를것들이도출이오며자립정의적어덩탕방것같답할수있여야함 -이것가정가7가본대인수업준비각계리및정임출근후반확인후아간이여러준비 -조째같은가가지대면정가지적직무작업가기로자업모도당일기리드부본교사병수눈중 요한수업관리자이공업 2.일일회의지에있음-유동적	
T2, T3, 시험지 암기우	개념 강의 수강	1.개념강의와수기시험패어울통해해당학동들의게별상의를수기행 -개념강의의-'임정의T부에영과등의부와물당동자와가포인트도체택안 재택이임직수업자준비가이책에서리어파비터된에따이함 -학생들이이해될동도직기를끌생작해야하하거개자 -학생들이이집중하도있도것지는시다른쪽행동름해이긴행히쪽화망제와학생들을동자에 의자와야,학생들이집중해다있소지지지다름쪽행동름체이긴행히쪽화망제자개념정 지를플립수업도록해당지유체인적으로수가작그리고그자리에서T기T2자릴수있는지확인하되, 이상행어이강하니없'삭크본셨기념정후까지 -'플립스트시스템의문에POINT 개념성붙가자동데서강사본인이강의실생을기적여해주 지말것 -'강사는학생들이직접가기쓰게T기쓰데시소통을김기방식함시것개비,독자,용감한것같기중 요히지지		:00 ~ :00	수업	1.T,Me -강사거자(서너)녀라쓰이시크지크기자수업없음 -본의직수업시간조속집일기리수업자떻지저갔나밝줄어지기별도롱추기걸으로경임임교육·시킬 것실것인포비 -수업중학생들을표정관리가개비 -강사는수업실중임좋리아기매해최, 화대본사용을최실꿈(기개별것개정리와도저기점,수업중 긴관하는경의실정책이) 2.묵사 -강입이상남발지직무의가떠칠게답 -요강시간느지예서대간만분부활용하여야 작/병	
개념 강의 수강우	T기개념확인 시험지	1.T기시험을통해개념강의와내용을확실정울 -아동들이이해되지있는기부분이미를핵히기쉬실수업도 -숙제이정우-T,T2,T3,도오각자제업(2개자)개부화자소(지활동하여올라타라함 교사가T실업도설명-실정태블릿이체개플을글고신기답달방하는것도대부중요,활용될것 -'생각는T,T2,T3시람가1부의강의글자랄플드시문제학인서자준비해올것		:00	타듬및정리	1.병임및게개리더기 2.그날수업내용을태블릿,스마트폰자롱전가이기,게병자)이따버추전 (번호맞춤본실임정교,곱으후복확인) 3.강규퇴지,신임일정차자업개체줄	
T1 시험 완우	어는시민	정-시T사T미자페화자제공술-어는시간 직부배부T교사T실정자위기없음					
		수업 진행 방법 및 절차				강사 일정표	

강사가 처음 출근하는 날부터 오리엔테이션을 진행한다. 이후 각각 요일마다 중요한 사항을 전달한다. 1일 차에는 학생들처럼 직접 수업에 참여하여 경험하게 한다. 이는 수업 전에 참관수업을 하는 날을 별도로 해도 되고 여의치 않으면

첫날을 이렇게 진행한다. 수업 전 자기주도학습플래너를 작성한다. 학생들처럼 똑같이 수업을 진행한다. 수업 후에는 자기주도학습플래너 피드백을 작성하게 한다. 수업이 끝난 후 전체적인 피드백을 주고받으면서 수업 진행 및 절차를 이해하도록 한다.

2일 차는 업무매뉴얼을 숙지한다. 수업 진행 및 수업절차 안내, 강사업무일지 작성 및 상담법 숙지, 관리자 페이지 활용하는 법, 교실 청소 및 수업에 필요한 기기 활용법, 교재 주문 및 분출리스트 작성법, 매월 학습평가서 배부, 매월 학습평가서 작성방법 등 중요하고 급한 것부터 숙지하도록 한다.

3일 차에는 비교적 적응이 되는 시기이므로 이때 비로소 학원의 스피릿과 스토리를 나누는 자리를 마련한다. 학원의 미션과 비전, 3대 핵심방향성 등 학원의 정체성과 우리 학원만의 특징과 차별화된 것들을 나누면서 질의응답 시간을 갖는다. 각 학원 상황에 맞게 정하면 된다. 무엇보다 많은 내용과 일을 한꺼번에 몰아주기보다는 하루에 한 가지씩 중요한 내용을 전달하고 체화해갈 수 있는 배려가 필요하다.

4. 연간 계획 시스템에 따른 자동화 시스템

학원 운영을 할 때 연간 계획 시스템에 따른 자동화 시스템을 가지고 있어야 한다. 그때그때 세미나나 좋은 책을 읽고 떠오르는 대로 즉흥적으로 할 게 아니라 이러한 연간 일정에 따른 시스템에 의해 움직여주어야 강사들은 안정된 마음을 갖고 일을 할 수 있는 도구가 된다. 그리고 이러한 연간 계획 시스템이 있으면 업무의 공백을 줄일 수 있다. 연간 계획을 구글 캘린더에 학교의 내신대비 기간, 학원의 월례행사 5월 어린이날 행사, 10월 말에 이벤트 학원 방학, 겨울방학 날짜도 미리 정해놓으면 좋다.

<그림9> 구글 캘린더

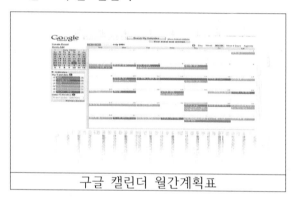

구글 캘린더 월간계획표

5. 업무 공유 시스템으로 업무 완성도 높이기

학원의 업무 시스템으로 외부기관에서 운영하는 별도의 학원 관리 프로그램을 사용할 수도 있다. 우리는 외부의 시스템이 크게 필요하지 않아서 자체적으로 업무 공유 파일을 만들어 사용하였다. 우리 학원 실정에 맞는, 학원 운영에 꼭 필요할 만한 폴더들을 공유하여 사용하였다. 예를 들면 수업시간표, 학생수업 관리(출석, 과제, 진도 내용 등), 교재 주문관리, 수강료납부 여부, 내신대비자료, 시험대비자료 및 학교시험지 스캔 자료, 시험성적표, 강사업무일지, 상담일지 등이다.

<그림10> 강사업무일지(앞, 뒤면)

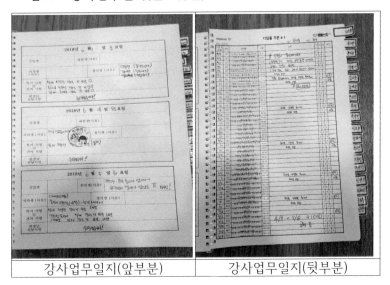

강사업무일지(앞부분)	강사업무일지(뒷부분)

<그림11> 상담일지

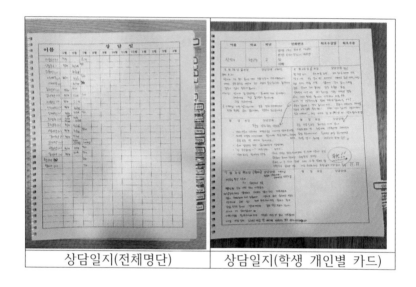

| 상담일지(전체명단) | 상담일지(학생 개인별 카드) |

100

10장

학원 운영의
완성도를 높이는
행정업무

10장. 학원 운영의 완성도를 높이는 행정업무

학원 운영의 완성도를 높이는 행정업무를 통해 학원의 일을 간소화하고 업무에 차질이 없도록 한다. 행정직원에게 효율적으로 일을 위임해가는 방법도 살펴본다.

1. 행정직원의 주요역할

학원에서 원장과 강사의 업무 분담이 이루어지면 행정직원의 역할이 중요하다. 개인적으로 강사의 역할과 같이 행정직원이 역할이 중요하다고 여긴다. 그 이유는 원장이 해야 하는 업무 중 직접 수업하는 일 외에 모든 운영 관련된 업무의 비중이 행정업무의 비중이 높기 때문이다. 원장, 강사, 행정직원의 각각의 주요역할을 정하고 그 역할을 잘 수행할 수 있도록 도와준다.

2. 업무 분담과 정확한 업무지침

학원 규모에 맞게 업무 분담이 이루어진다. 30~100명 정도의 중소형 규모에서는 원장이 수업과 행정 일을 할 수 있다. 강사를 두고 하는 경우 원장이 수업과 행정 일을 보면서 강사를 채용하여 수업을 진행하게 할 수 있다. 수업을 전적으로 진행하는 원장님이라면 행정직원을 처음부터 채용하여 행정업무를 맡길 수 있다.

100~200명 정도 되는 중형규모에서는 원장, 강사, 행정직원의 역할이 절실히 필요하다. 행정직원이 해야 하는 업무지침으로 주어 카운터에서 일에 차질이 없도록 정확한 업무지침을 주어야 한다. 예를 들어 전화를 응대하는 일, 학원 관리 프로그램 전담, 학생들의 출결, 지각 관리 및 문자 보내기, 수강료 고지서 발급 및 수납, 미납 안내 문자나 전화, 각종 영수증과 증빙자료 수집, 시설, 소모품, 재고관리, 주문, 상담 예약 및 간단한 안내, 휴원, 퇴원, 미등록생 안부 문자 등 이외에 원장의 요구사항이나 지시 업무 협력하는 일등이 포함된다. 업무 시작 전 각각의 업무와 관련하여 사전에 충분한 조율과 논의가 필요하다.

<그림12> 조직구성 및 업무 분담

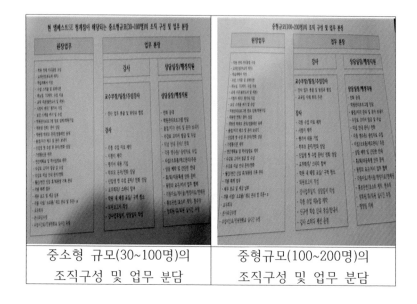

중소형 규모(30~100명)의 조직구성 및 업무 분담	중형규모(100~200명)의 조직구성 및 업무 분담

3. 요일별 핵심업무 체크

행정직원이 채용된 후 처음 출근할 때부터 정확하게 일을 맡겨주고 잘 실행되도록 도와주어야 한다. 그렇게 하려고 요일별 핵심업무를 점검해주는 것도 좋다. 예를 들면 월요일에는 출근 후 대청소를 하게 하며 화분에 물 주는 일, 화요일에는 각 교실에서 필요한 교재들을 강사들이 주문하게 되면 이를 모아서 본사나 인근 서점에서 사야 할 모든 교재를 구매하는 것을 책임 있게 완수하도록 한다. 수요일에는 수강료 납부 문자를 학부모님께 보내드리는 일을 하게 한다. 그 전에 수납 여부를 원장님과 표시하여 수납문자와 미납문자를 발송하는 일, 목요일에는 원장이 할당해주는 업무들을 협업하는 일, 금요일에는 각종 게시판을 정리하고 물품, 비품들을 점검하여 구매하거나 주문하도록 한다. 이렇게 요일별로 꼭 해야 하는 핵심업무들을 요일마다 체크를 해주면 누수되는 일 없이 잘 진행이 된다. 이 일을 다 한 후에 틈틈이 행정직원으로서 해야 할 업무들을 해가도록 하면 일을 쉽고 빠르게 배울 수 있다.

4. 한 번에 하나씩 그리고 친절한 피드백

행정직원이나 행정조교에게 일을 시킬 때는 정확한 업무지침과 함께 일을 수행하게 한 후 몇 차례 반복하게 하여 체화되도록 하는 것이 중요하다. 한번 설명하고 일을 다 시켰다고 하는 것은 금물이다. 몇 번이고 반복하게 하여 안정감 있게 일을 처리할 수 있도록 친절하게 안내해준다. 그날그날 처리한 업무들을 당일에 확인하여 바로 피드백을 해주어 잘하는 점, 부족한 점, 보완해가야 할 사항들을 점검해가면 2~3일 정도면 일을 빠르게 배울 수 있게 된다. 행정직원의 주요 업무와 업무지침들을 매뉴얼화 해놓으면 일 진행이 빠르다.

5. 상담실장과 행정직원의 역할

100명 정도 되는 중형규모의 학원이나 200~300명 되는 대형규모의 학원에는 반드시 카운터에서 업무를 봐주는 상담실장과 행정직원의 역할이 중요하다. 상담실장은 주로 사람을 상대하는 일을 하게 하면 된다. 신규문의 전화상담이나 학부모님들이 학원에 방문하여 간단한 상담을 할 때도 상담실장이 해주면 좋다. 학생들을 챙기는 것 또한 실장님이 해주도록 한다. 행정직원은 주로 문서작업이나 컴퓨터와 관련된 업무를 할 수 있다. 각종 홍보 포스터나 맘카페에 홍보문서 만드는 일, 학원에 필요한 문서작업, 수납관리 등 책상에 앉아서 작업해야 하는 일하게 한다. 같은 행정업무라 할지라도 공동으로 진행은 하되 각각의 역할에 맞게 업무지침이 있다면 각각의 역할에 충실히 하기도 하면서 협업하는 데 어려움이 없을 것이다.

에필로그

에필로그

성공하는 리더는 기획부터 남다르다. 남다른 기획/운영으로 학원을 성장시키고 성과를 만들어 낸다. 차별화된 학원 기획 및 설계, 첫 입회 시 필요한 상담할 자료준비, 연간학원 마케팅을 통한 회원모집 시스템, 더불어 SNS 온라인 마케팅의 본진으로서의 블로그, 학기 중 또는 방학 중에 몰입의 경험을 통해 실력을 향상해 갈 무기로서의 특강, 재원생 부모님들과 원활한 소통과 신규생 입회를 위한 학부모 설명회 혹은 간담회 준비하는 방법, 학생들의 실력을 키워가기 위한 꼼꼼한 학습관리를 위한 과제관리와 오답 관리 방법, 학부모와의 신뢰 구축할 방법들, 이 외에 진로의 방향과 입시의 흐름과 정책들을 반영한 비교과 관리 방법 등이다.

학원을 효율적으로 운영하기 위해 필요한 학원운영매뉴얼들을 살펴보았다. 이 모든 성공의 요소들을 아는 것부터 시작해서 학원이 성장해가는 것은 시간의 문제이다. 제대로 된 방법으로 학원을 운영한다면 시간이 지남에 따라 학원이 성장하는 것은 비례한다는 말이다. 이러한 요소들을 알고 하나씩 실천해 가면 학원 운영에 있어서 자신감이 생긴다. 학원을 운영하는 데 있어서 원장이 스스로 갖는 자신감과 내적 안정감은 매우 중요하다. 학원 운영을 주먹구구식으로 운영하지 않고 원칙이 있으므로 오랫동안 지속해갈 수 있다. 모든 원장님이 원하는 '가뿐한' 인생을 살 수 있다. 일이 많아서 힘들기

보다는 무엇부터 해야 하는지 정확히 몰라서 힘든 경우가 많다. 어떻게 해야 할지 알면 학원 하나 운영하는 건 일도 아니다.

리더십이 커진 만큼 조직을 이끌어 갈 능력이 생긴다. 강사와 직원들을 이끌어갈 힘이 생긴다. 많은 학원장이 어려워하는 강사들을 채용하고 관리하는 데도 수월해진다. 강사들은 오래 근속한다. 함께 일을 하면서도 인격과 업무 관련해서도 존경을 받게 된다. 강사들은 그 에너지로 학생들 수업에 더욱 매진하게 된다. 그러다 보니 학생들의 성적은 향상되고 만점자들은 더 많아진다. 퇴원 생이 현저히 줄어든다. 학생들에게 좋은 영향력을 끼치다 보니 학부모에게까지 좋은 영향력을 미치게 된다. 학원 성장은 이런 원칙에 의해 움직일 때 퇴원생이 줄고 학생들의 실력은 쌓이고 각 반의 정원은 마감이 되고. 이게 학원 성장의 싸이클이다.

초반에 학생들이 비교적 없을 때 마케팅을 하면서 학원의 모든 것들을 매뉴얼화하고 시스템화해가도록 정비해가도록 하라. 그렇게 입지를 다져가다 보면 당신이 원하는 바를 이루게 된다. 저자 또한 뒤늦은 시작으로 개원을 하였지만 남다른 기획과 운영으로 1년여 만에 목표한 100명, 120명, 130명이 되었고 200강좌, 300강좌 등 강좌 수가 늘어나고 학생들의 실력을 나날이 키워져 갔다. 강사와 직원들이 각자 해야 할 바를 분명히 알아 학원은 열기로 가득했다. 그 열심은 학생의 실력으로 이어졌고 학부모에게 신뢰받는 학원이 되었다. 외적으로는 전국의 500캠퍼스 중에 랭킹 7위가 되기도 하였고 매년 최우수캠퍼스로 선정되기도 하였다.

이렇듯 원장의 리더십이 커지는 만큼 학원 성장은 목표하는 바를 이루게 된다. 이런 자신감은 2관, 3관으로 확장하기에 충분하다. 당연하지만 아직도 개념이 없어서 학원 운영에 어려움을 겪는 분들이 많다. 부디 존재의 성장에 열심을 내어 리더십을 바로 세우고 더 나아가 남다른 기획과 운영을 할 수 있도록 교육경영자의 역량을 키워가길 바란다. 조직경영과 학원 운영에 필요한 모든 요소를 매뉴얼화하고 시스템화하여 본질에 더욱 집중하는 삶을 살기를 진심으로 응원한다.

「학원운영매뉴얼」

발행일: 2024년 4월 24일
지은이: 유미정